C0-AMQ-239

아이세움 논술 | 명작 28

타임머신

감수 및 개발 참여

책임 감수

박우현　전 한우리독서문화운동본부 교육원장, 동국대 철학 박사

논술 집필진

김영건　서강대 철학 박사, 계명대 연구교수
문계연　논술 연구 및 집필가, 연세대 윤리교육대학원 석사
박민미　동국대 강사, 독서평설 필자, 동국대 철학 박사 수료
오창희　독서지도사, 논술지도사, 고려대 국어교육대학원 석사

아이세움 논술 ǀ 명작 28

타임머신

원작 허버트 조지 웰스 ǀ **엮음** 정환정 ǀ **그림** 이혜조 ǀ **감수** 박우현
펴낸날 2006년 8월 25일 초판 1쇄, 2013년 10월 25일 초판 9쇄
펴낸이 김영진

본부장 조은희 ǀ **사업실장** 이영호
편집장 박철주 ǀ **편집·진행** 박은식, 박희정, 임지은, 위혜정 ǀ **디자인** 서남이
펴낸곳 (주)미래엔 ǀ **주소** 서울시 서초구 잠원동 41-10
전화 마케팅 02)3475-3843~4 편집 02)3475-3924 ǀ **팩스** 02)541-8249
등록 1950년 11월 1일 제16-67호 ǀ **홈페이지** www.i-seum.com

저작권자의 동의 없이 무단 복제 및 전재를 금합니다.
이 책에 쓰인 사진의 저작권은 (주)타임스페이스에 있습니다.

ISBN 978-89-378-4111-8　74840
ISBN 978-89-378-4116-3　(세트)

· 책값은 뒤표지에 있습니다.
· 파본은 구입처에서 교환해 드리며, 관련 법령에 따라 환불해 드립니다. 다만, 제품 훼손 시 환불이 불가능합니다.

Mirae Ⓝ 아이세움은 (주)미래엔의 어린이책 브랜드입니다.

아이세움 논술 | 명작 28

타임머신

허버트 조지 웰스 원작

정환정 엮음 | 이혜조 그림

아이세움
i-seum

좋은 책 한 권이 열 학원보다 낫습니다

세월이 가도 우리의 가슴에 남아 있는 책이 고전이요, 시간이 흘러도 우리의 머리에 오래 기억되는 작품이 명작입니다. 좋은 책은 읽는 것만으로도 가치가 있습니다. 어렸을 때 감동 깊게 읽은 책들은 세월이 가도 내 몸에 향기로 남습니다.

책의 향기는 그 어떤 향기보다 향기롭습니다.

독서를 한 후에 생기는 느낌은 상당히 중요합니다. 나의 느낌은 나만의 재산입니다. 그 느낌을 말로 표현하거나 글로 써 보면 한 번 더 생각하는 사람이 됩니다. 한 번 더 생각하면 생각이 깊어지고 정확해집니다.

〈아이세움 논술 | 명작〉은 '좋은 책을 한 번 더 읽자'는 의도에서 만든 것입니다. 책은 읽어야 내 것이 됩니다. 느낌으로 다가오고 생각으로 다가옵니다. 그러나 학년이 올라가면 올라갈

수록 느낌만이 아니라 자신의 생각도 중요해집니다. 나의 생각이 곧 내가 누구인지를 알려 주는 것이기 때문입니다.

어떤 문제에 대해 자신만의 생각을 적절한 이유와 더불어 쓰는 것이 논술입니다. 〈아이세움 논술 l 명작〉은 책을 다 읽은 후에 그와 관련된 것들을 한 번 더 생각해 보는 데 도움을 줍니다. 그리하여 우리가 읽은 명작을 내 것이 되도록 도와 줍니다. 논술 워크북과 가이드북이 그 역할을 할 것입니다.

좋은 책 한 권은 열 학원보다 낫습니다.

쓰기가 싫으면 그냥 재미있는 책만 읽어도 됩니다. 명작을 읽는 것만으로도 훌륭한 공부를 하는 것이니까요. 그러다 어느 순간에 쓰고 싶은 생각이 들면 써 보세요. 생각나는 대로 써도 좋습니다. 쓴다는 사실만으로도 한 단계 발전한 것이니까요.

가슴에 쓰는 글은 나를 위해 쓰는 글이며 종이에 쓰는 글은 역사를 위해 쓰는 글입니다. 글이 역사를 만듭니다. 명작과 더불어 향기를 느끼고 자신의 글과 더불어 생각하는 사람이 되기를 진심으로 바랍니다.

전 한우리독서문화운동본부 교육원장

박우현

명작 읽기의 소중함

 열심히 책만 읽기에는 너무 고단한 우리 학생들에게 다시 '논술' 열풍이 불고 있다. 학생들이 스스로 즐겨 그렇게 된 것은 아니지만, 학생들을 위해 결코 나쁜 일이라고만 말할 수는 없을 것이다.

새삼스러운 얘기일 터이지만 좋은 글을 쓸 수 있는 가장 빠른 길은 "많이 읽고(다독多讀)·많이 쓰고(다작多作)·많이 생각(다상량多商量)"하는 삼다(三多)밖에 다른 것이 없다.

먼저 다독이 문제다. 많이 읽는다고 해서 아무 책이나 마구잡이로 읽는 것을 다독이라고 하지는 않는다. 많이 읽되, 좋은 책을 읽을 때 그것이 다독이다. 그렇다면 어떤 책이 좋은 책일까?

우선 고전이라 할 명작에는 사람이 세상을 살면서 알아야 할 온갖 삶의 지혜와 가치가 담겨 있다. 가령 〈지킬 박사와 하이드〉에서는 인간 내면에 혼재해 있는 선과 악의 대립을, 〈동물농장〉

에서는 삶을 한없이 타락시키는 전체주의와 아름다운 삶을 지향하는 인간의 무한한 이상의 끊임없는 갈등과 투쟁에 대한 반추를 해 볼 수 있다. 이런 고전을 재미있게 읽고 생각하는 기회를 갖는 것이 바로 좋은 글을 쓸 수 있는 바탕이다. 문제는 고전이 너무 어렵고 분량이 방대하다는 점이다.

이번에 출간된 〈아이세움 논술 | 명작〉은 원전의 내용을 재구성해 어린 학생들이 쉽게 고전과 친해지도록 만들었다. 지루함을 덜기 위해 캐릭터를 사용해서 그 캐릭터들과 끊임없이 교감하며 끝까지 책을 손에서 놓지 못하게 만든 것도 이 시리즈의 특색이요 장점일 터이다. 책 뒤에 논술을 학습할 수 있도록 논술 워크북과 가이드북을 제공하여 '학습과 논술'이라는 두 문제를 다 해결할 수 있도록 배려한 점도 주목할 만하다. 어린 학생들이 편안하고 소중한 독서 경험을 하리라 본다.

물론 이 명작선은 완역본이 아니므로 이것만 읽어서는 해당 작품을 제대로 읽었다고 말할 수 없을 것이다. 그러나 훗날 학생들이 성장하여 완역본으로 다시 읽고 올바르게 이해하는 데 큰 도움이 되도록 세심한 배려를 했다.

이 점도 이 시리즈가 귀하고 값진 이유이다.

시인

신경림

| 차 례 |

나
느림보 뒤뚱이!
나같이 느린 애도
미래로 갈 수 있을까?

나 호기심 많은
번빠리! 아싸!
타임머신 마지막
티켓은 내 거야!

미래에 가면 내 님을 만날 수 있을까?

타임머신? 분석해 보고 싶은 욕심이 마구 생기는걸.

패티맨   튜브   박테리아   고로케

PART 1

PART 1 PART 1
PART 1 PART 1 PART 1
PART 1 PART 1 PART 1 PART 1
PART 1 PART 1 PART 1 PART 1
PART 1 PART 1 PART 1 PART 1 PART 1
PART 1 PART 1 PART 1 PART 1 PART 1
PART 1 PART 1 PART 1 PART 1
PART 1 PART 1 PART 1
PART 1 PART 1

명작 살펴보기

타임머신에
타실 분, 어서 오세요!

명작 살펴보기

시간 여행에서 답을 찾아라!

모두가 즐거워하는 크리스마스 날, 왕따 번빠리가 혼자
텔레비전을 보고 있어요. 그 때 텔레비전에서 이상한 소리가
들리더니 낯선 남자가 번빠리에게 시간 여행을 제안하네요.
과연 번빠리는 과거와 미래에서 좋은 친구를 사귈 수 있을까요?

시간 여행을 통해 자신의 문제점을 발견한 번빠리!
번빠리는 더 이상 왕따가 아니에요. 친구들에게 먼저 다가가
말을 건네자 모두들 번빠리를 반갑게 맞아 주었지요.
친절한 번빠리는 마침내 최고의 **인기맨이 되었답니다.**

시간 속을 날아가자!

여러분이 이제부터 읽을 명작은 〈타임머신〉입니다. 모두들 '타임머신'이라는 말을 들어본 적이 있을 거예요. 원하는 시대로 마음대로 날아갈 수 있는 환상의 기계, 타임머신! 타임머신을 만든 시간 여행자는 시간 속을 마음대로 왔다 갔다 할 수 있다고 생각했답니다. 과거나 미래의 내가 원하는 시간으로 말이에요. 그리고 정말 시간 여행을 떠납니다. 아득히 먼 미래로요.

H. G. 웰스의
〈타임머신〉이후
시간 여행에 대한 여러 가지
영화와 소설이
만들어졌지.

시간 여행자가 다시 돌아올 수 있을까요?

먼 미래에 도착한 시간 여행자. 그의 눈앞에 나타난 사람들은 지금 우리의 모습과 전혀 다른 사람들이었습니다. 작고 귀여운 얼굴에, 걱정이라곤 없어 보였죠. 하지만 미래에는 그 사람들만 살고 있는 것은 아니었습니다. 모두들 잠이 든 시각, 시간 여행자는 이상한 동물을 보게 됩니다. 그들은 상상할 수 없을 만큼 흉한 모습을 하고 있었다는군요. 그런데 그 이상한 동물들이 시간 여행자의 타임머신을 훔쳐 갔어요! 시간 여행자는 위기를 극복하고 자신이 살던 시대로 돌아올 수 있을까요?

시간을 뛰어넘을 수 있을까요?

시간 여행자는 우리가 여러 곳을 여행하듯이 시간을 뛰어넘어 여러 시대를 여행할 수 있다고 믿었습니다. 주위 사람들이 아무리 비웃거나 말도 안 되는 이야기라고 해도 말이지요. 하지만 시간 여행자는 시간을 여행할 수 있는 기계를 만들어 냅니다. 그리고 시간 여행을 떠납니다. 바로 타임머신을 타고 말이에요.

그렇다면 과연 미래는 어떤 모습일까요? 사람이 살지 않았던 과거에는 어떤 것들이 살고 있었을까요? 오직 상상 속에서만 그려볼 수 있는 모습을 시간 여행자는 직접 두 눈으로 볼 수 있다고 믿고 시간 여행을 떠납니다. 아무도 가 보지 못한 미래로의 여행에서, 시간 여행자는 무엇을 보고 느끼게 될까요? 그리고 그의 운명은 어떻게 될까요?

◀ 타임머신을 만든 사람들은
미래의 모습을 보기 원했답니다.

Start 발단

친구들을 모아 놓고 시간 여행에 대해 설명하는 시간 여행자. 친구들은 모두 말도 안 되는 소리라고 하지만 시간 여행자는 타임머신 모형을 보여 주며 자신의 생각이 틀리지 않음을 주장한다.

expansion 전개

시간 여행자는 타임머신을 타고 미래로 날아간다. 미래에는 두 종류의 사람이 살고 있는데, 그 중 한 종족은 어린아이처럼 보인다. 원숭이처럼 보이는 또다른 종족이 타임머신을 훔쳐 간다.

climax 절정

다시 현재로 돌아오기 위해 타임머신을 되찾으러 나선 시간 여행자. 여러 어려움을 겪은 후, 결국 타임머신을 되찾지만 실수로 더 먼 미래로 날아간다.

ending 결말

현재로 돌아온 시간 여행자. 이번엔 많은 준비를 하고 과거로 출발한다. 시간 여행의 증거들을 갖고 올 거라는 말과 함께 말이다. 하지만 그는 아직도 돌아오지 않고 있다.

열어 봐.

미래에는 눈 온통 심심하고 이상한 것들만 가득한가 봐.

시간 여행자는 어디로 갔을까요?

사람들의 비웃음과 걱정을 뒤로 하고 미래로 간 시간 여행자는 전혀 예상치 못한 미래 모습에 깜짝 놀랍니다. 휘황찬란한 건물과 기계로 뒤덮여 있을 줄 알았던 미래 세계는 그다지 발전한 것처럼 보이지 않았기 때문입니다. 하지만 더 놀라운 것은 바로 지하에 사는 이상한 무리들이었습니다. 그들로 인해 시간 여행자는 현재로 돌아올 수 없는 곤란한 상황에 처하기도 합니다.

하지만 이런 상황 덕분에 시간 여행자는 미래 사회가 왜 그렇게 변했는지 알 수 있게 됩니다. 지하에 살고 있던 동물 역시 인간의 후손이고 그들 역시 환경에 적응하다 보니 흉측한 모습이 됐다는 것을요.

여러분도 과거와 미래 사회가 궁금하다면 〈타임머신〉을 읽으면서 상상해 보세요.

◀ 미래 사람들은 어떻게 살아갈까요? 상상해 보세요.

그렇지 않아. 미래는 바로 우리가 만드는 거야. 우리가 노력하면 얼마든지 미래를 바꿀 수 있어.

 잠시 휴식! 알로에 주스 한 잔 마시고 〈타임머신〉을 읽어 보세요!

PART 2
PART 2 PART 2
PART 2 PART 2 PART 2
PART 2 PART 2 PART 2 PART 2
PART 2 PART 2 PART 2 PART 2 PART 2
PART 2 PART 2 PART 2 PART 2 PART 2 PART 2
PART 2 PART 2 PART 2 PART 2 PART 2
PART 2 PART 2 PART 2 PART 2
PART 2 PART 2 PART 2
PART 2 PART 2

명작 읽기

룰루 랄라!
시간 여행을 떠나자!

PART 2

명작 읽기

1장
시간 여행을 하는 기계

우리가 머릿속으로 생각하고 있는 것과 진짜 세상은 다를 수 있어!

타임머신

시간 여행자는 회색 눈을 반짝이며, 생동감 넘치는 표정으로 우리에게 이해하기 어려운 얘기를 시작했다.

"내 말을 잘 들어 봐. 사람들이 갖고 있는 일반적인 생각들을 지금부터 확 뒤집어 놓을 테니 말이야. 우선 학교에서 배운 기하학幾何學부터.

기하학(幾何學) : 수학의 한 부분으로 점, 선, 면, 입체로 이루어진 도형을 연구하는 학문.

사실 기하학은 순 엉터리라네."

"이봐, 시작이 너무 거창한 거 아
냐?"

빨간 머리에 논쟁을 좋아하는 필비가 말
했다.

"내가 하는 말을 억지로 믿으라고 할 생각은
없어. 하지만 곧 내 말에 고개를 끄덕일걸. 자네들
도 알다시피 수학적 의미의 직선直線, 그러니까 두께가
'0'인 직선은 이 세상에 없어. 마찬가지로 수학적인 평면
平面도 그저 머릿속에서만 존재하지. 현실에서는 어떤 것
도 높이가 있으니까 말이야. 그렇지 않은가?"

"그야, 그렇지."

함께 앉아 있던 심리학자가 대답하자, 시간 여행자가
신이 나서 말을 이었다.

직선(直線) : 곧게 뻗은 선.
평면(平面) : 울퉁불퉁하지 않고 평평한 표면.

"즉 길이와 너비, 높이만을 갖고 있는 정육면체正六面體 또한 존재하지 않는걸세."

"그건 아니지!"

필비가 말했다.

"그래, 대부분의 사람들은 필비처럼 생각하지. 하지만 말이야, 아주 잠깐 동안 존재하는 정육면체가 있을까? 그러니까, 잠깐이라도 존재하지 않는다면 정육면체가 어떻게 존재한다고 할 수 있겠나?"

생각에 잠긴 필비를 흘끗 보고 시간 여행자는 계속 말을 이어 갔다.

"우리가 보고 만지고 느끼는 물체는 네 가지 조건을 만족해야 하네. 길이, 너비, 높이 그리고 지속 시간! 즉 얼마나 오랫동안 존재하느냐 말일세. 우리 몸은 태어날 때부터 불완전하다네. 그 때문에 이 같은 중요한 사실을 모르

정육면체(正六面體) : 여섯 개의 면이 모두 합동인 정사각형으로 이루어진 정다면체.

고 지나친 거야. 좀 더 쉽게 설명하자면, 이 세상에는 네 개의 차원(次元)이 있는데, 그 중 세 개가 공간이고 나머지 하나가 시간이지. 우리는 평생 시간의 길을 따라 한쪽으로 아주 조금씩 움직이기 때문에 그 사실을 놓친 거라네."

시간 여행자는 신이 난 듯 점점 유쾌한 표정이 되었다.

"간단히 말해, 우리가 살고 있는 이 공간(空間)이라는 것은 길이와 너비, 높이로 이루어져 있으며 이 세 가지가 만나는 지점에 의해 만들어지지. 하지만 과연 이 모든 게 3차원에만 머물러 있는 걸까? 자네들도 알다시피 2차원의 평면 위에 3차원의 모습을 그림으로 그릴 수 있잖은가. 그렇다면 3차원 위에 4차원의 무엇인가를 그려 볼 수 있지 않겠나?"

"알 듯도 하고, 모를 듯도 하네."

무슨 말을 하는 건지 도통 모르겠어. 근데 뭔가 재미있는 일이 생길 것 같단 말이야. 잘 들어 봐야지!

차원(次元) : 기하학적 도형, 물체, 공간 따위의 한 점의 위치를 말하는 데에 필요한 실수의 최소 개수. 직선은 1차원, 평면은 2차원, 입체는 3차원이다.
공간(空間) : 아무것도 없이 비어 있는 곳.

시장은 혼자 중얼거리다가 무릎을 '탁' 치며 외쳤다.

"그래, 무슨 뜻인지 알겠어."

시간 여행자는 부드러운 시선으로 시장을 돌아보고는
이야기를 계속했다.

"과학 분야에 종사하는 사람들은 시간이 공간의 한 종
류라는 걸 알고 있다네. 날씨를 기록한 이 도표圖表를 보
게나. 온도계의 수은을 보고 기록한 것이라네. 이
렇게 온도가 올라갔다 내려갔다 하지 않나?
온도계溫度計의 수은은 우리가 알고 있는 3차
원 공간에서 움직인 게 아니라 시간을 따라
움직인 것이야. 따라서 온도계 안의 수은은 '시
간 차원'을 따라 움직인다고 봐야 하네."

"하지만 시간이 정말 공간의 네 번째 차원이라면
왜 우리는 그 안에서 자유롭게 움직일 수 없는 거지?

모든 것은
흘러가는 시간 안에
존재하는 법이지!

도표(圖表) : 분석된 자료를 그림으로 그려 나타낸 표.
온도계(溫度計) : 온도를 재는 기구.

시간 여행자가
하는 말이
너무 어려운걸.

3차원인 이 곳에서 우리는 이렇게 마음껏 움직일 수 있는데 말이야."

난로를 바라보며 앉아 있던 의사가 돌아보지도 않고 묻자, 시간 여행자가 웃으며 말했다.

"그래, 왼쪽과 오른쪽, 앞과 뒤로는 마음대로 움직이지. 하지만 위, 아래는 어떤가?"

"기구氣球를 타면 높이 올라갈 수 있잖은가."

의사가 대꾸했다.

"그렇다면 기구가 발명되기 전에는? 그저 제자리에서 높이 뛰어오르는 걸 빼면, 사람들은 위 혹은 아래로 마음껏 움직이지 못했다네. 물론 위로 올라가는 것에 비하면 아래로 내려가는 것이 그나마 쉽지."

"그래도 시간 방향으로 자유롭게 움직일 수는 없네. 하다못해 바로 지금 이 시간에서 누가 벗어날 수 있단

기구(氣球) : 수소나 헬륨 등 공기보다 가벼운 기체를 넣어 공중에 띄우는 커다란 공 모양의 물건.

말이지?"

"이보게 친구, 그게 바로 잘
못된 생각일세. 우리는 항상
바로 지금이라는 시간으로부
터 벗어나고 있지 않은가. 우
리는 태어나서부터 죽을 때까지
단 한 번도 같은 시간에 머물러 있었던 적이
없네. 계속해서 움직이고 있지."

그러니까 실제로는
눈에 보이지 않지만
시간도 점, 선, 면처럼
공간이라는 거야.
그래서 '지금'이라는
공간에서 '미래'라는 공간으로
여행할 수 있다는 논리이지.

"하지만 어떻게 시간 안에서 자유로울 수 있나?
모두 같은 방향으로 움직이고, 그 방향에서 조금도
벗어날 수 없는데."

심리학자가 반박하자, 시간 여행자도 이에 질세라 조금
도 굴하지 않고 또박또박 대꾸했다.

"그건 우리가 기구 없이 공중에 머물 수 없는 것과 같
아. 하지만 지금 우리는 하늘에 떠 있을 수 있는 기구가
있지 않나. 그렇다면 언젠가 말일세. 우리가 기구를 타고
하늘과 땅을 자유롭게 오갈 수 있는 것처럼 시간 안에서

정말 시간 여행을 할 수 있다면, 난 다음 주 당첨 복권 번호를 알아 낼 테야.

도 마음대로 움직일 수 있지 않겠나? 난 이미 실험(實驗)을 통해서 증거까지 얻었다네."

"이건 정말, 정말이지 말이 되지 않아."

필비가 더듬거리며 말했다.

"이미 오래 전에 그 기계를 만들어야겠다고 생각했네. 공간과 시간, 어느 차원, 어느 방향으로든 마음대로 움직일 수 있는 기계 말일세."

시간 여행자의 말에 필비가 웃음을 터뜨렸다. 어이가 없었기 때문이다.

"그렇다면 역사가들한테는 매우 큰 도움이 되겠는걸."

"미래로 갈 수 있다면 재산을 어디에 투자할지도 알 수 있겠군요!"

청년도 거들었다.

실험(實驗) : 어떤 상황을 일부러 만들어 기대했던 일 혹은 현상이 나타나는지 조사하는 것.

"그게 사실이라면 우리 앞에서 보여 줄
수 있나?"

내가 직설적으로 묻자, 시간 여행자는 보일 듯
말 듯 미소를 지으며 천천히 방에서 걸어 나갔다.

우리들의 궁금증이 더욱 커져 갈 때쯤 시간 여
행자가 돌아왔다. 그의 손에는 아주 작은 부분까
지 정성스럽게 만든 작은 시계 크기의 금속 물체物體
가 있었다. 시간 여행자는 방에 흩어져 있던 여러 탁자
중 하나에 그 금속 물체를 올려놓았다. 주위에는 램프와
많은 촛불이 있었기 때문에 모두들 그 모형을 자세히 볼
수 있었다. 다시 말해, 시간 여행자가 우리의 눈을 속이는
것은 불가능했다.

"이건 모형일 뿐이지만, 난 이 기계가 시간 여행을 하
도록 할 셈이네. 잠시 후에 여러분들은 아주 희한한 모습
을 보게 될 거야. 자, 여기 작고 하얀 손잡이가 있지? 여

물체(物體) : 구체적인 형태를 지니고 있는 것.

기에도 있고."

시간 여행자는 자리에서 일어섰다.

아마 모두 시간 여행자가 속임수를 쓸 거라고 생각했을 거야.

"잘 들어 두게. 내가 이 손잡이를 누르면 이 기계는 과거로도, 미래로도 갈 수 있다네. 내가 속임수를 쓰는지 잘 살펴보게. 괜히 모형을 잃고, 거짓말쟁이라는 얘기까지 듣고 싶지는 않으니까."

시간 여행자는 손잡이를 누르려다 갑자기 심리학자의 검지를 빌려 기계를 작동시켰다. 분명히 어떤 속임수도 보지 못했는데 갑자기 바람이 불더니 램프의 불이 흔들리고 벽난로 위에 있던 촛불이 꺼졌다. 그와 함께 기계가 갑자기 제자리에서 돌기 시작하더니 희미해졌다. 그리고 곧 탁자 위에서 사라졌다. 모두 멍하니 탁자만 쳐다보고 있는데 시간 여행자가 기분 좋게 웃으며 말했다.

"자, 보았나?"

"이봐, 그 기계가 정말 시간 여행을 하고 있다고 믿는 건가?"

타임머신 모형은 어디로 갔을까?

의사가 물었다.

"물론이지! 게다가 곧 모형模型이 아니라 진짜 기계가 완성될 거라네."

"그럼, 자네 얘기는 아까 그 기계가 미래로 날아갔다는 건가?"

"그건 정확히 모르겠네."

대화를 듣던 심리학자에게 그럴 듯한 생각이 떠올랐다.

지금도 멈추지 않고 시간 여행을 하고 있을 거야. 아, 마, 도!

"자네 말이 사실이라면 틀림없이 과거로 갔을 거야. 만약 미래로 움직였다면 여전히 여기에 남아 있어야 해. 조금 아까의 상황에서 미래로 가려면 지금 이 순간도 지나가야 하니까 말이야."

난 심리학자의 말에 동의할 수 없었다.

모형(模型): 본 물체를 만들기 전에 미리 만든 본보기. 또는 원래의 물체를 작게 해서 만든 것.

"하지만 과거로 갔다면 우리가 이 방에 들어섰을 때도 그 기계를 봤어야지. 그리고 지난 주, 지지난 주에도 봤어야 하고."

"만일 우리가 시간을 타고 흐르는 속도보다 기계가 빠른 속도로 시간 여행을 한다면 우리가 느끼지 못할 수도 있지. 자네들 진짜 타임머신을 보지 않겠나?"

시간 여행자는 곧 우리를 실험실로 데리고 갔다. 우리 모두는 의심과 걱정을 하며 그의 뒤를 따랐다. 실험실에는 거의 다 완성된 모습의 타임머신이 놓여 있었다.

"난 저 기계를 타고 시간 여행을 떠나려 한다네."

우리는 모두 무슨 말을 해야 할지 몰라 멍하니 입만 벌리고 있었다.

목요일 저녁 모임

시간 여행자는 너무 똑똑해서 믿기 힘든 사람이었다. 나는 그가 무슨 생각을 하고 있는지 결코 알 수 없다고 생각했다. 아무런 속임수가 없는 행동에도 무언가 숨기고

있는 게 아닌가 하는 의심을 하게 되었
다. 만약 기계를 보여 준 게 필비였다
면, 사람들은 그가 무엇을 하려는지
분명히 알았을 것이다. 우리를 놀리려는
것인지, 정말 타임머신을 만든 것인지 말이다.
하지만 도무지 시간 여행자의 속마음은 알 수가
없었다. 그렇기 때문에 누구도 약속한 날짜가 다가
오도록, 시간 여행에 대해 말하지 않았다.

이들은 목요일마다 모임을 갖고 있나 봐. 이번 목요일엔 무슨 일이 생길까?

약속한 목요일이 되어, 다시 시간 여행자의 집이 있는
리치먼드로 갔다. 이번에는 지난 주에 만났던 사람들 외
에, 신문사 편집장編輯長인 블랭크와 신문 기자 그리고 처
음 보는 낯선 사람이 함께했다. 하지만 시간 여행자는 우
리가 먼저 저녁 식사를 시작할 때까지 나타나지 않았다.
우리는 저녁을 먹으면서 처음으로 참석한 편집장과 기자

편집장(編輯長) : 책이나 신문 같은 것을 펴내거나 만드는 사람들의 우두머리로
서 편집 업무 전체를 관할하는 사람.

에게 시간 여행자에게 들은 시간 여행에 대해 설명했다.

그 때 갑자기 문이 열리며 시간 여행자가 우리 앞으로 다가왔다. 그 모습을 보고 의사는 "세상에, 이게 도대체 어찌 된 일인가!"라며 소리쳤다.

시간 여행자의 모습은 엉망이었다. 외투에는 먼지가 앉아 있었고 하얗게 센 머리는 마구 헝클어져 있었다. 또 얼굴은 유령처럼 하얗게 질려 있었고 턱에는 아물어 가는 상처가 있었다.

시간 여행자는 한동안 문가에서 머뭇거리더니 절룩거리며 방으로 들어왔다. 우리는 그가 무슨 말이라도 하기를 기다렸다.

그는 힘겹게 걸어와서는 식탁에 있던 포도주 한 잔을 단숨에 들이켰다.

"도대체 어디서 오는 길인가?"

의사가 물었지만 그 소리를 듣지 못한 모양이었다.

"난 괜찮으니 저녁 식사를 마저 하게."

그러고는 포도주 한 잔을 더 따라서 급하게 마시

더니 우리의 얼굴과 방 안을 둘러보았다.

"목욕부터 하고 금방 내려와서 모든 걸 설명해 주지. 아참, 거기 있는 양고기 좀 남겨 두게. 고기가 먹고 싶어 죽을 지경이야."

이 말을 마치고 시간 여행자는 절룩거리며 계단이 있는 문 쪽으로 걸어 나갔다. 그런데 이상하게도 구둣발 소리가 들리지 않았다. 나는 일어나서 시간 여행자의 발을 바라보았다. 그는 신발을 신고 있지 않았다. 거의 다 찢어진 피 묻은 양말만 신고 있을 뿐이었다. 그 모습을 보고 멍하니 있는데, 신문사 편집장 블랭크를 따라온 신문 기자가 투덜거렸다.

"저 사람 도대체 뭡니까? 무슨 '부랑자(浮浪者) 경연 대회'에라도 다녀온 건가요?"

모두들 다시 저녁을 먹기 시작했다. 난 지난 모임에 있

부랑자(浮浪者) : 일정하게 사는 곳과 하는 일 없이 떠돌아다니는 사람.

었던 일을 설명했지만, 새로 참석한 사람들은 믿지 못하겠다는 반응이었다.

"도대체 시간 여행이라는 게 뭔가? 말도 안 되는 이야기 속에서 뒹굴며 저렇게 먼지를 뒤집어쓰는 건가?"

편집장 또한 시간 여행자를 비웃었다.

잠시 후 시간 여행자가 돌아왔다. 조금 전의 흐트러진 모습은 온데간데없이 말끔한 차림이었다.

"이 친구들 말로는 자네가 벌써 다음 주를 보고 왔다던데! 경마 결과는 어떻던가? 자네는 어디에 걸 거지?"

신문 기자들은 자기가 직접 본 게 아니면 쉽게 믿질 않지.

편집장은 시간 여행자를 약올렸다. 하지만 시간 여행자는 아무 대꾸도 하지 않고 자리에 앉으며 딴청을 부렸다.

"양고기는? 아, 포크로 고기를 다시 찔러 보게 되다니! 얼마 만인지 모르겠군."

"얘기 좀 해 보게."

편집장이 재촉했지만 시간 여행자는 양고기를 집으며

우리 나라 사람들은 돼지고기, 쇠고기, 닭고기를 주로 먹지. 어떤 나라에서는 양고기를 즐겨 먹기도 해. 나라마다 음식 문화가 다르니깐!

느긋하게 입을 열었다.

"우선 배부터 좀 채우고 보세. 그러고 나서 이야기보따리를 풀어 놓겠네."

모두들 궁금한 것이 많았지만 숨도 쉬지 않고 음식을 먹는 시간 여행자의 모습에, 누구도 입을 떼지 못했다. 의사는 눈을 가늘게 뜨고 있었고 새로 온 사람들은 어색한 모습으로 앉아 있었다.

마침내 식사를 마친 시간 여행자가 입을 열었다.

"미안하네, 너무 배가 고팠거든. 그나저나 정말 놀라운 경험을 했네."

시간 여행자는 식탁에서 일어나 모두를 거실로 데리고 갔다.

"미리 말하지만, 오늘 저녁에는 논쟁論爭할 기운이 없네. 물론 내가 겪은 일을 이야기해 줄 수 있지만, 그것이

논쟁(論爭) : 서로 다른 생각을 가진 사람이 자신의 뜻을 주장하며 다투는 것.

사실인지 거짓말인지 따질 수는 없다는 거야. 그러니 절대 중간에 끼어들 생각은 말게."

시간 여행자는 숨을 깊게 몰아쉰 후에 말을 꺼냈다.

"난 오늘 4시에 실험실에 있었어. 그리고 그 때부터 지금까지 8일간을 미래에서 보냈다네. 마음 같아서는 당장 침대에 누워 잠을 자고 싶지만 얘기를 끝마칠 때까지는 잠자리에 들지 않겠네. 하지만 조금 전 말한 것처럼 중간에 끼어들지는 말아 주게."

모두 고개를 끄덕이자, 그제야 시간 여행자는 이야기를 시작했다. 처음엔 지쳐 보이던 시간 여행자도 이야기를 할수록 생기를 되찾았다.

미래에서
8일간을 보냈다니?
그게 무슨 소리일까?

2장
타임머신 타고 미래로

이제부터 화자는 1장의 '나'가 아니라 시간 여행자임을 기억해야 해.

미래로

나는 타임머신이 지난 금요일에 완성될 줄 알았다. 하지만 니켈 막대기 중 하나가 짧다는 걸 뒤늦게 발견하는 바람에 오늘 아침에야 타임머신을 완성할 수 있었다.

마지막 손질을 마치고 타임머신에 앉자, 앞으로 일어날 일에 대한 두려움과 호기심으로 가슴이 벅찼다. 한 손은 타임머신을 작동하는 손잡이에, 다른 손은 타임머신을 멈추게 하는 손잡이에 얹은 채, 작동하는 손잡이를 힘껏 당겼다. 그러나 나는 곧바

로 정지停止 손잡이를 눌렀다. 갑자기 머
리가 몹시 어지러웠기 때문이다. 꼭 높
은 데서 떨어지는 기분이었다. 실험실
안은 변한 게 없었다. 그런데 시계를 살펴
보니 조금 전 막 10시를 가리키던 시곗바
늘이 3시 30분을 가리키고 있는 게 아닌가!

타임머신은
좌우, 위아래로는
움직이지 않는구나!

　나는 크게 숨을 들이마시고 이를 꽉 깨
물며 타임머신을 다시 작동시켰다. 갑자기 실
험실이 뿌옇게 보였다. 손잡이를 끝까지 당겼다.
그러자 불을 끈 것처럼 밤이 되었고 다시 아침이 되었다.
실험실은 점점 희미하게 변해 갔고 이상한 소리가 귓속을
파고들었다.

　시간 여행을 할 때의 느낌은 꼭 롤러코스터를 타는 것
처럼 머리를 밑으로 하고 아래로 곤두박질치는 느낌이었
다. 그렇게 떨어지다 바닥에 머리를 부딪치게 될 것 같은

정지(停止) : 움직이고 있던 것이 멎거나 그침.

생각에 덜컥 겁이 났다.

타임머신의 속도를 늘리자, 밤과 낮의 변화가 빨라졌다. 실험실의 모습은 아예 사라졌고 태양은 꼭 땅 위에서 튀어오르는 것처럼 보였다. 1분에 한 번씩 태양이 떠올랐다가 졌다. 느릿느릿 움직이는 달팽이마저 너무 빨리 움직여 도저히 달팽이라는 사실을 믿을 수 없었다.

롤러코스터를 타는 느낌? 가슴이 서늘하고 뱃속이 울렁이는 바로 그 느낌?

주위의 것들이 쉴새없이 변했다. 거대한 건물이 솟아올랐다가 금세 사라졌고 땅바닥도 얼음이 녹아 흐르는 것처럼 보였다. 타임머신은 더욱더 속력을 내어 이제 1분 사이에 1년이 지나갈 정도가 되었다. 1분마다 눈보라가 치고 새싹이 돋는 모습이 눈앞에 나타났다.

처음보다는 기분이 많이 나아졌다. 난 알 수 없는 미래를 향해 마구 달려가고 있었지만, 여태 한 번도 느껴 본 적이 없는 새로운 기분에 그것을 멈추고 싶지 않았다. 한편 무서운 생각도 들었다. 마침내 이 두 감정은 내 마음을 가득 채워, 나는 이러지도 저러지도 못했다. 몸은 빠르게 미

정신이 없으면 얼른 타임머신을 멈춰야지!

사람은 아무것도 할 수 없을 정도로 당황할 때가 있는 법이야.

래를 향해 날아갔지만 마음은 여전히 현재 시간에 머물러 있었던 것이다.

갑자기 우리가 살고 있는 시대에서는 볼 수 없었던, 엄청나게 큰 건물建物이 우뚝 솟았다. 또 진한 녹색 풀이 언덕을 가득 덮었다. 정신은 없었지만 무척 아름답다고 생각했다.

그제야 타임머신을 멈춰야겠다는 생각이 들었다. 하지만 막상 타임머신을 멈추려고 하니 어떤 일이 벌어질지 걱정이 되었다. 나와 타임머신은 가만히 있는 가운데 시간만 흐른 것이기 때문에 만약 내가 있는 자리에 거대한 건물이 들어선다면 내 몸은 산산이 부서지지 않겠는가? 그렇다고 언제까지 미래로만 갈 수는 없었기 때문에, 무작정 정지하는 손잡이를 당겼다. 그러자 타임머신은 크게 흔들리며 뒤집혔고, 나는 타임머신

건물(建物) : 사람이 들어가 살거나 일을 하거나 물건을 넣어 두기 위해 지은 집.

밖으로 떨어져 나가 곤두박질쳤다.

정신을 차려 보니, 차가운 우박이 쏟아지고 있었다. 나는 뒤집어진 타임머신 앞에 멀뚱히 앉아 있을 수밖에 없었는데, 그 곳은 어느 정원의 잔디밭 같았다. 주위를 둘러보는 동안 따끔따끔한 우박과 함께 쏟아진 비에 온몸이 흠뻑 젖었다.

"얼마나 긴 세월을 뚫고 왔는데, 이런 식으로 환영을 한담."

나는 투덜거렸다. 하지만 곧 우박을 그대로 맞고 있던 스스로를 돌아보게 되었다. 자리에서 일어나 주위를 살펴보았지만, 거세게 쏟아지는 빗줄기와 우박 때문에 멀리 있는 조각상밖에 눈에 들어오지 않았다. 우박이 조금 잦아들자, 그 조각상이 굉장히 크다는 것을 알 수 있었다. 키가 큰 나무가 겨우 조각상의 어깨에 닿아 있었기 때문이다. 조각상은 대리석으로 만들어졌는데 꼭 날개 달린 스핑크스 같았다. 마침 스핑크스의 얼굴이 내 쪽을 향하고 있었는데 마치 날 쳐다보고 있는 듯했다. 나는 잠시 그

미래에서 처음 본 게 스핑크스 같은 조각이라니! 그런데 스핑크스가 뭐지?

스핑크스!

스핑크스는 약 3,500년 전, 이집트에서 만든 커다란 석상이야. 피라미드와 함께 이집트의 대표적인 보물로 손꼽히지.

조각상을 바라며 얼마나 무계획無計劃하게 이 곳에 왔는가를 떠올렸다.

'혹시 사람이 살지 않는 건 아닐까? 아님, 괴물들만 우글거리는 거 아냐?'

갑자기 두려움이 밀려오기 시작했다.

다행히도 차츰 우박이 잦아들었다. 그러자 여러 가지 모습을 지닌 건물이 눈에 들어왔다. 서로 이리저리 얽혀 있는 듯한 지붕과 난간 그리고 커다란 기둥을 가진 건물이었다. 그 뒤로는 숲이 우거진 언덕이 있었다. 그 풍경을 보자, 웬일인지 무서운 생각이 들어 견딜 수 없었다. 정신 없이 타임머신으로 돌아가 기계를 바로 세우려 안간힘을 썼다.

그 때, 구름 사이로 갑자기 햇볕이 내리쬐었다. 머리 위로 푸른 하늘이 나타나

무계획(無計劃) : 어떤 일을 함에 앞서 방법, 차례 등을 미리 생각하지 않음.

타임 머신이 뒤집혔다고? 어떡해! 만약 고장났다면 되돌아갈 수 없잖아!

고 모든 것들이 또렷하게 보였다.

주위가 밝아지면서 오히려 더 큰 두려움에 미칠 것 같은 기분이 되었다. 그렇다고 해서 언제까지나 떨고 있을 수만은 없었다. 잠시 숨을 고르고 온몸의 힘을 모아 타임머신을 세우려 했다. 그 와중에 타임머신이 내 얼굴을 치는 바람에 상처傷處가 났지만, 그런 건 신경 쓸 틈조차 없었다.

이상하게도 되돌아갈 방법을 찾고 나니, 다시 용기가 생겼다. 언제 떨었던가 싶게 여유롭고 호기심 어린 눈으로 미래 사회社會를 돌아봤다. 그러자 한 건물의 높은 창가에 화려한 옷을 입은 사람들이 서 있는 것이 보였다. 그들은 아까부터 나를 내려다보고 있었던 모양이다.

그 때 가까운 곳에서 사람들의 목소리가 들려왔다. 스

상처(傷處): 몸을 다쳐서 부상을 입은 자리.
사회(社會): 함께 모여 사는 사람들의 집단.

핑크스 옆으로 나 있는 수풀을 지나 사람들이
다가오는 게 보였다. 그 중 한 사람이 내 곁에
섰다. 그 사람의 몸집은 아주 작았는데, 약 1.2
미터의 키에 자주색 윗도리를 입고 허리에는 가
죽 허리띠를 두르고 있었다. 바지는 무릎까지
드러나 있었고 머리에는 아무것도 쓰고 있지
않았다. 그 모습을 보고 나는 이 곳이 따뜻한
곳임을 알았다.

미래에 사는
사람들은 키가
작구나.

그 사람은 얼굴이 발갛게 물들어 있었
지만 건강한 사람처럼 보이지는 않았다.
그 모습을 보자, 나는 조금 더 자신이 생
겼다. 그래서 타임머신 위에 올려진 손을
슬그머니 내려놓았다.

하지만 지금
우리는 몇백 년 전
사람들 보다
훨씬 크다고!

서기 80만 2000년대

잠시 후, 우리는 서로를 마주 보고 서 있었다. 그
들의 머리 모양은 모두 비슷한 길이의 곱슬머리로, 목과

빰 부분에서 가지런히 잘라 낸 바가지 모양이었다. 얼굴에는 솜털도 없었고 두 귀는 이상하리만치 작았다. 입술은 얇고 붉었으며 입도 몹시 작았다. 턱은 뾰족하게 튀어나와 있었지만 커다란 눈 때문에 온순해 보였다.

그들 중에 한 명이 환하게 웃으며 내게 말을 걸었다. 그러고는 뒤쪽에 서 있는 동료同僚들에게 뭐라고 말했지만 알아들을 수 없었다. 그들의 목소리는 너무 가늘고 매끄러웠다. 나는 무슨 말을 하는지 알아듣지 못하겠다는 뜻으로 두 손을 내저었다. 말을 건 사람은, 손사래 치는 내 손을 가만히 잡았다. 그러자 다른 사람들도 내 몸을 더듬기 시작했다. 내가 살아 있는지 확인確認하는 것 같았다. 나는 그 손길을 거부하지 않았다. 아마도 상냥하고 친절한 그들의 태도와 어린아이 같은 천진한 모습 때문이었으리라. 또한 그들이 내게 달려든다고 해도 열댓 명 정도는

동료(同僚): 같은 직장이나 같은 부문에서 함께 일하는 사람.
확인(確認): 틀림없이 그러한가를 알아보거나 인정함.

거뜬히 막아 낼 수 있다는 자신감이 들었다. 그러나 그들의 손길이 타임머신으로 향하자 더 이상 보고 있을 수 없었다. 나는 손사래를 치며 타임머신으로 달려가 얼른 조종 손잡이들을 빼내어 주머니에 넣었다.

그들은 나를 둘러싸고 미소만 지으며 웅성댔다. 나는 탐험가가 된 기분으로 타임머신과 나 자신을 손으로 가리키며 어깨를 으쓱했다. 그리고 시간을 어떻게 표현할까 고민하다가 해를 가리키자 무리 중에 하나가 내 행동을 따라 하더니 갑자기 천둥치는 소리를 냈다.

그 행동이 무엇을 뜻하는지 어렴풋이 알 것 같기는 했지만 믿을 수 없었다. 서기 80만 2000년대를 살고 있는 사람이라면 19세기의 나보다 훨씬 뛰어난 지식을 갖고 있으리라 생각했는데, 내게 묻는 말이 겨우 천둥을 타고 태양에서 내려왔냐는 거라니! 나는 잠시 망설이다가 그들의 말에 호응해 주기로 했다. 그래서 고개를 끄덕이고 태양

천둥을 타고 내려왔다고? 시간 여행자를 무슨 천사나 저승사자쯤으로 생각하고 있는 거 아니야?

을 가리킨 뒤, 모두 깜짝 놀랄 만큼 큰 소리로 천둥소리를 흉내냈다. 그러자 한 사람이 다가오더니, 처음 보는 꽃으로 만든 꽃목걸이를 걸어 주었다. 사람들은 박수를 치며 환호했다. 그리고 곧 꽃을 따러 이리저리 뛰어다녔고 나는 곧 너무 많은 꽃 때문에 숨이 막힐 지경이 되었다.

그들은 나를 데리고 스핑크스를 지나 돌로 지어진 회색 건물로 갔다. 건물의 입구는 아주 컸는데, 다른 출입구出入口들도 어마어마하게 컸다. 여기저기에 아름다운 무늬가 새겨져 있어 더욱 시선을 끌었다. 그 안에는 나를 데리고 온 사람들보다 더 화려하고 아름답게 꾸민 사람들이 기다리고 있었다. 그들에 비해 내 19세기 옷차림은 우스꽝스러우면서도 몹시 괴상해 보였다.

출입구를 지나, 안으로 들어가자 갈색의 넓은 방이 나타났다. 그 방에는 수많은 탁자들이 놓여 있었는데 탁자 위에는 온갖 과일이 수북이 쌓여 있었다. 하지만 그 중에

출입구(出入口) : 나갔다가 들어왔다가 하는 어귀나 문.

서 알아볼 수 있는 것은 오직 딸기와 오렌지뿐이었다.

탁자 사이에 있는 의자에 앉으라고 사람들이 손짓했다. 그들은 과일을 먹고는 껍질이나 줄기를 탁자 옆에 있는 둥그런 구멍에 던져 넣었다. 나 또한 배가 고프고 목이 말랐던 참이라 그들처럼 과일을 먹으며 이곳 저곳을 둘러보았다.

건물 안은 매우 낡고 여기저기 부서지거나 깨진 곳이 많았지만 전체적으로 화려하고 아름다웠다. 사람들이 입고 있는 옷은 모두 같은 옷감으로 만들어졌는데, 튼튼하면서도 부드러운 비단이었다.

그 곳 사람들은 오직 과일만 먹는지 고기는 눈을 씻고 봐도 찾을 수 없었다. 소, 양, 돼지, 개며 고양이까지 모두 공룡처럼 멸종減種한 모양이었다. 하지만 난생 처음 보는 다양한 과일을 먹는 재

고기가 없다니!
나처럼 고기를
좋아하는 사람은
어쩌라고!

멸종(減種) : 생물의 한 종류가 없어짐.

미에 불평할 생각은 들지 않았다.

배고픔이 가시자 그들의 언어를 배우고 싶어졌다. 아무래도 과일을 갖고 시작하는 편이 좋을 것 같아, 내 앞에 놓인 과일을 들고 이름을 묻는 듯한 말투와 몸짓을 보여 줬다. 그러자, 사람들은 큰 소리로 웃어 댔다. 다행히 그 중 한 명이 내가 무슨 말을 하는지 눈치채고 과일의 이름을 여러 번 반복해서 말해 주었다. 그러고는 내 행동에 대해 잠시 토론을 하는 듯 한참을 떠들었다. 그들은 내게 몇 마디 말을 더 가르쳐 주려는 듯하더니 그만두었다. 그새 싫증이 난 모양이었다. 그들은 내가 보았던 그 누구보다 게으르고 쉽게 싫증을 냈다.

나는 곧 그들에게 집중력이 부족하다는 것을 알게 됐다. 나를 처음 봤을 때 그들은 꼭 어린아이처럼 소리를 지르며 달려들고 환호歡呼했지

미래 사람들은 공부 따위를 열심히 할 수 없을 거야. 뭐든지 금세 싫증내는 걸 보면.

환호(歡呼) : 기뻐서 큰 소리를 지름.

만, 곧 별다른 관심을 보이지 않고 다른 장난거리를 찾기 시작했다. 그래서 식사가 끝날 때쯤에는 아무도 남아 있지 않았다. 나도 식사를 마치고 건물 밖으로 나갔다.

바깥 풍경은 내가 살던 19세기와는 너무 달랐다. 풀 한 포기, 꽃 한 송이조차 낯설었다. 나는 높은 산꼭대기에 올라가 보기로 했다. 그 곳에 올라서면 서기 80만 2701년의 세계를 한눈에 볼 수 있을 거라는 생각에서였다. 80만 2701년은 타임머신에 표시된 숫자였다.

산으로 향한 길에는 거대한 바위와 미로를 이루고 있는 성벽들, 무너져 내린 돌들이 있었다. 아마도 엄청나게 큰 건물이 무너지면서 생긴 파편 같았다.

잠시 숨을 돌리며 아래를 내려다보니, 가족이 살 만한 집은 보이지 않았다. 19세기의 크고 작은 가정집들은, 80만 년이라는 긴 시간이 흐르는 동안 거대한 건물로 바뀌어 있었다.

그렇게 옛 영국의 모습을 떠올리며, 생각에 젖어 있는데, 여섯 명 정도의 사람들이 나를 올려다보고 있는 것이 눈에 들어왔다. 그제야 나는 그들이 똑같은 옷에, 똑같은 얼굴, 똑같은 굵기의 팔 다리를 가진 것을 깨달았다. 아마 위험도 없고 편안한 세상에 살다 보니, 남자와 여자 사이에 성 차이가 사라진 모양이다.

남자의 강함이나 여자의 부드러움, 가족 제도^{制度} 같은 것들은, 힘이 모든 것을 해결하던 시대에나 필요한 것들이다.

이런 생각을 하고 있던 중, 나는 이상하게 생긴 구조물을 발견했다. 둥그런 지붕을 이고 있는 우물 같았는데, 미래 사회에도 우물이 있다는 게 이상했다.

빠른 걸음으로 걷다 보니, 키 작은 사람들은 더 이상 나를 따라오지 못했다. 나는 처음으로 혼자 있게 됐다는 생각에 기분이 좋아졌다. 그리고 곧 꼭대기에 올랐는데, 거기에는 노란색

위험이 없는 세상이라니! 정말 좋은 곳이겠구나!

제도(制度) : 정해진 틀이나 모습.

의 알 수 없는 금속으로 만들어진 의자가
있었다. 나는 거기에 앉아서 아래를 내려다
보았다. 어떤 곳은 폐허가 되어 있었고 어떤
곳에는 사람이 살고 있었다. 각자의 것을 구분
짓는 울타리는 보이지 않았다. 둘러보아도
농사를 짓는 흔적은 보이지 않았다. 지구 전체
가 하나의 정원이 되어 있는 것 같았다.

위험이 없으니
이렇게 연약해진 거야.
과연 좋은 세상일까?

아래를 내려다보며 눈에 보이는 것들에 대해 나
름대로 생각을 정리하고 곧 머릿속에 하나의 그림을 그려
보았다.

사람의 힘은 쓰면 쓸수록 강해진다. 쓸 일이 없어지면
자연스레 그 기능을 잃게 된다. 우리 몸에서 꼬리가 퇴화
된 것처럼 말이다. 그러니까 나는 인간이 본래의 모습을
잃어 가고 있는 시기에 와 있는 듯했다. 우리의 생활을 좀
더 안전하고 편안하게 만들려는 노력이 결국 미래 인간의
모습을 무기력한 존재로 만든 것이다!

모기나 파리 같은 해충은 물론 잡초나 곰팡이 따위도

볼 수 없었다. 애써 가꾸지 않아도 과일이 주렁주렁 열렸고 꽃은 활짝 피었다. 사람들에게선 감기 따위의 가벼운 병도 찾아볼 수 없었다. 매우 훌륭한 집에서 잘 먹고 잘 자며 좋은 옷을 입고 있었고 땀 흘리며 일하지 않았다. 누군가를 미워하거나 멀리하지도 않았다. 완벽한 안전_{安全}함과 편안함이 모든 것을 불필요하게 만들어 버린 탓이다. 내가 살고 있는 시대에는 살아가는 데 꼭 필요한 용기가, 미래에는 오히려 불편함이 될 뿐이었다. 다시 말해 강한 사람들은 힘쓸 곳이 없어 괴로워하고, 약한 사람들은 아무런 불편 없이 잘 적응하는 사회가 된 것이다.

지금도 예전보다 훨씬 많은 병을 고칠 수 있고, 훨씬 더 편안한 생활을 하고 있지.

안전하고 편안한 게 무조건 좋은 것은 아니구나.

나는 점점 어두워지는 산꼭대기에 서서 아름다운 미래 세상과 그 곳에 사는 사람들의 비밀에

안전(安全) : 위험이 생기거나 사고가 날 염려가 없음.

대해 이렇게 결론을 내렸고, 그것으로 모든 궁금증은 해결됐다고 생각했다. 내 생각은 매우 단순單純하고 그럴 듯했다. 대부분의 잘못된 생각들이 그렇듯 말이다.

잘못된 생각이라고?
그럼 미래 사회에 우리가
모르는 또다른 비밀이라도
있단 말야?

단순(單純): 복잡하지 않고 간단함.

3장
몰록과 엘로이

사라진 타임머신

해가 지고 밤이 되자 추위가 엄습했다. 나는 산을 내려가 잘 곳을 찾아보기로 했다.

산꼭대기에서 걸어 내려오며 나는 처음 본 건물인 스핑크스를 찾아보았다. 그런데 스핑크스가 있는 잔디밭에 이르자 무언가 변한 것을 알게 됐다.

"아니야, 이 곳이 아니야! 이 잔디밭이 아니란 말이야!"

나는 강력하게 부인했지만 그 곳은 분명 내가 타임머신

시간 여행자에게 안 좋은 일이 생긴 모양이야!

을 타고 떨어진 곳이 맞았다. 정신을 차리고 가장 먼저 보았던 스핑크스가 저 앞에 있지 않은가! 그러나 나는 이곳이 내가 맨 처음 떨어진 곳이라고 믿을 수 없었다. 상상도 할 수 없는 일이 일어난 것이다.

바로 타임머신이 사라져 버린 것이다!

목이 콱 막히고 숨이 멎을 것 같았다. 그리고 곧 두려움에 몸을 떨었다. 난 미친 듯이 아래로 뛰어내려갔다. 뛰다가 넘어지는 바람에 얼굴에 상처가 나고 피가 흘렀지만 그런 것을 신경 쓸 때가 아니었다. 정신 없이 뛰면서 중얼거렸다.

"틀림없이 그 사람들이 옮겨 놓았을 거야. 자기들에게 방해가 안 되도록 수풀 아래로 밀어 놓은 거야."

그렇게 스스로를 위로하면서 있는 힘껏 뛰었다.

타임머신이 사라지다니! 그럼, 미래 사회에서 영영 돌아올 수 없는 거야?

방해(妨害) : 남의 일을 못하게 혹은 불편하게 함.

하지만 뛰면서 그들이 내가 찾을 수 없는 곳에 타임머신
을 숨겨 놓은 것을 본능적으로 깨달았다. 나는 무얼 믿고
타임머신을 그 자리에 놓아 두었을까!

　타임머신이 놓여 있던 자리에 다다른
나는 차마 믿고 싶지 않았던 사실을 받아
들일 수 밖에 없었다. 내가 알아차리기
전에 누군가가 타임머신을 치웠다고 생각
하니 미칠 것 같았다. 하지만 한 가지 다행
스러운 것은 누군가 똑같은 타임머신을 만들지 않
는 이상, 시간 여행은 불가능하다는 사실이다.
타임머신을 조종操縱하는 손잡이는 여전히 내 주머
니 속에 있었기 때문이다.

　그렇다고 해도 쉽게 진정할 수는 없었다. 스핑크스 주
변의 수풀을 미친 사람처럼 뛰어다니던 중 어떤 하얀색의
동물을 놀라게 했다. 그 때 당시는 어두운 밤이었기에 난

> 휴, 다행이다.
> 손잡이는 시간 여행자가
> 갖고 있으니, 누군가 그걸 타고
> 시간 여행을 할 수는 없겠군.
> 근데 누가 타임머신을
> 옮겨 놨을까?

조종(操縱) : 비행기 등의 기계를 다루어 부림.

그것을 작은 사슴쯤으로 여기고 다시 타임머신을 찾기 위해 나뭇가지를 헤치고 다녔다. 그리고 나중에는 돌로 만들어진 거대한 건물로 향했다.

안으로 들어가자 방석이 가득한 방이 있었고 스무 명 정도 되는 작은 사람들이 잠을 자고 있었다.

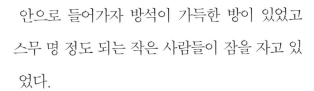

"타임머신! 내 타임머신! 대체 타임머신을 어디에 숨긴 거지?"

나는 마구 고함을 치며 자고 있던 사람들을 흔들어 깨웠다. 이런 내 행동에 어떤 이는 큰 소리로 웃었지만 대부분은 깜짝 놀란 듯했다.

다시 밖으로 나가자, 안에서 내가 만든 소동으로 인해 여러 사람의 비명과 이리저리 뛰어다니는 소리와 넘어지는 소리가 들렸다.

아무 희망도 없었고 왠지 낯선 곳에 남겨진 동물이 된 느낌이 들었다. 하느님과 운명의 신에게 고래고래 소리를 질렀다.

그러다 잠이 들었다. 한참 뒤, 깨어 보니 날이 환하게 밝아 있었다. 난 상쾌한 기분으로 자리에서 일어났다. 새로운 햇살 아래 앉아 있으니 내가 어떤 상황에 있는지, 또 어떻게 해야 할지 차분히 생각할 수 있었다.

'타임머신을 찾을 수 없게 되는 것이 최악의 경우겠지? 아니, 만약에 완전히 망가졌다면? 먼저 침착하고 끈기 있게 행동해야 해. 무엇보다 중요한 건 타임머신 만드는 방법을 기억해 내서 다시 타임머신을 만드는 거야!'

마음을 단단히 먹고 자리를 털고 일어나 주위를 살폈다. 목욕沐浴을 하고 싶었다. 긴 여행 때문에 온몸 구석구석 더럽지 않은 곳이 없었다.

마침 지나가는 키 작은 사람들에게 목욕할 곳을 물어 보았지만 소용 없는 일이었다. 그들은 내 몸짓을 이해하지 못하거나 아예 신경도 쓰지

목욕(沐浴): 머리를 감으며 몸을 씻는 일.

않았으며 어떤 사람들은 내가 자기들을 웃기려 하는 줄 알고 낄낄거리며 웃어 댔다.

그들에게는 어려움이라는 게 없으니까 한 번도 남을 도와 본 적이 없었겠지.

누군가를 붙잡고 물어 보느니 잔디밭을 살피는 게 나을 것 같아 이곳 저곳을 둘러보았다. 그러던 중 스핑크스 주변에서 타임머신을 옮긴 흔적을 발견했다. 의아한 것은 폭이 좁고 기다란 발자국이었다! 내가 본 미래 사람들의 발자국과는 달랐기 때문에 나는 잠시 고개를 갸웃거렸다.

스핑크스의 받침대는 청동靑銅으로 되어 있었는데, 한 덩어리로 이루어진 게 아니라 틀을 짜 놓고 거기에 청동판을 깊게 끼워 넣은, 매우 정교한 모양이었다. 받침대를 두드려 보니 그 안은 텅 비어 있는지 소리가 울렸다. 청동판에는 문고리나 열쇳구멍 같은 건 없었지만 문일 가능성이 있었다. 만일 문이라면 안쪽으로 열리게 되어 있는 모양이었다. 타임머신이 저 안쪽에 있을지 모른다는 생각에

청동(靑銅) : 구리와 주석을 함께 녹여 만든 금속.

점차 확신이 들었지만 어떻게 옮겼는
지와 어떻게 꺼내야 할지는 알 수 없었
다.

스핑크스는 이집트의
조각상으로, 왕의 권력을
상징하는 모습으로 표현돼 있어.
사람들이 화를 내는 건
스핑크스를 신성하게 생각하기
때문이 아닐까?

　그 때 오렌지색 옷을 입은 두 사람이
다가오는 게 보였다. 난 그들에게 상냥한 얼
굴로 손짓을 했다. 그리고 그들에게 스핑크스 받침
대를 가리키며 어떻게 여는지 궁금하다는 뜻의 몸짓
을 보이자, 그들은 참을 수 없다는 듯이 인상人相을
찌푸리며 돌아가 버렸다. 나는 다시 친절해 보이는
남자에게 똑같은 몸짓을 해 보았지만 결과는 같았다.

　아무래도 스핑크스를 건드리는 것이 탐탁치 않은 모
양이라는 생각이 들었지만, 나는 스핑크스 안에 있을지
모르는 타임머신을 포기할 수는 없었다.

　주먹으로 청동 판을 치자, 안쪽에서 무언가 움직이는
소리가 들렸다. 조금 더 정확히 말하면 낄낄거리며 웃는

인상(人相): 사람 얼굴의 생김새.

소리였다. 마음이 조급해져 강가에서 큰 돌덩이를 가져왔다. 그러나 아무리 두드려도 청동 판은 꿈쩍도 하지 않았다. 피곤에 지친 나는, 자리에 앉아 가만히 받침대를 쳐다보기만 했다. 잠시 후 자리를 박차고 일어나 수풀을 지나 언덕 쪽으로 걸어갔다.

"그래, 타임머신을 찾으려면 스핑크스를 건드려서는 안 돼. 만일 그들이 타임머신을 훔쳐간 거라면 청동 판을 부숴도 아무 소용이 없을 거고 빼앗을 생각이 없다면 내가 돌려 달라고 할 때 돌려주겠지. 오히려 스핑크스를 건드린다면 화가 될 수도 있어."

그렇게 마음을 다잡자 갑자기 우스워졌다. 미래未來로 가기 위해 수많은 세월을 실험실에서 보낸 게 엊그제인데 이제는 다시 그 곳으로 돌아가고 싶어 안절부절못하는 모습이라니!

주인공은 사고 체계가 대단히 합리적인 것 같아. 나라면 끝까지 신경질을 냈을걸.

미래(未來) : 아직 다가오지 않은 때.

다시 큰 건물 안으로 들어서자 사람들이 나를 피하는 눈치였다. 단순히 내가 그렇게 느낀 것일 수도 있고, 우려했던 대로 아까 스핑크스의 청동 판을 두드린 것 때문일 수도 있다. 난 그들에게 관심이 없는 척 조심스레 행동했다. 그렇게 이틀이 지나는 사이 모든 게 예전으로 돌아왔다. 그들의 말도 배울 수 있었고 가 보지 못했던 곳도 살펴볼 수 있었다.

나는 둥글게 생긴 여러 개의 우물에 호기심이 생겼다. 그 우물들은 아주 깊었는데 그 중 하나는 내가 처음 올랐던 언덕에 있었다. 다른 우물과 마찬가지로 청동으로 가장자리를 꾸며 놓았고 비를 막기 위한 둥근 모양의 지붕이 얹혀져 있었다. 내가 살던 시대의 우물과는 다른 모양이었다. 물을 길어 마시기 위한 것은 아닌 듯했으나 정확한 쓰임은 상상이 되지 않았다. 그래서 여러 번 우물 안을 들여다봤지만 아무것도 볼 수 없었다. 주머니에 들어 있던 몇 개의 성냥을 켜고 살펴보아도 아래에서 반

이 우물은 아마 다른 쓰임새가 있는 모양이야.

우물에서 아지랑이가 피어오르다니, 분명히 밑에 무언가 있군!

공기를 빨아들이는 우물? 혹시 생명체가 지하에 살고 있는 게 아닐까?

사되는 빛이 없었다. 매우 깊은 모양이었다. 그러나 가만히 귀를 기울이면 '쿠웅, 쿠웅, 쿠웅!' 하는 소리가 들렸다. 꼭 커다란 기계가 돌아가는 소리 같았다. 우물이 계속해서 공기를 빨아들이며 내는 소리가 아닐까 추측했다. 그것은 우물에서 피어오르는 아지랑이 때문이었다.

하지만 땅 밑에 그런 시설이 있어야 할 이유는 알아 내지 못했다.

그렇게 고민에 빠져 있을 때, 나는 우연히 친구 한 명을 사귀게 되었다. 그 때 나는 사람들이 얕은 물가에서 물놀이하는 모습을 보고 있었는데, 한 여자가 아래쪽으로 떠내려가는 게 눈에 들어왔다. 아마 다리에 쥐가 난 모양이었다. 그러나 주위에 있던 다른 사람들은 아무 도움도 주지 않고 그저 떠내려가는 여자를 보고만 있었다.

난 물에 뛰어들어 여자를 구했다. 바닥에 눕히고 팔다리를 주무르자 여자는 곧 기운을 되찾았다. 완전히

정신이 든 여자를 보고 나는 다행多幸이라고 생각하며 그 곳을 떠났다.

나는 그들이 이런 일에 대해 고마워할 줄 모를 거라고 생각했지만, 그것은 잘못된 생각이었다.

오후에 다시 만난 여자는 반갑다는 뜻으로 큰 소리를 지르며 커다란 꽃다발을 내밀었다. 여자의 그런 행동에 몹시 감동했다. 아마 그 동안 외로웠던 모양이다. 어쨌든 나는 최대한 고맙다는 뜻으로 고개를 숙여 보였다. 우리는 곧 돌로 지은 정자에 앉아 이야기를 나누게 되었다. 그녀의 이름은 '위나'였다.

위나는 어린아이처럼 내 곁에만 있으려 했고 내가 가는 곳은 어디든 따라다녔다. 한 번은 내 걸음을 따라오지 못하고 쓰러졌는데, 그 때 위나를 두고 가려 하자 굉장히 슬퍼했다.

물에 빠진 여자를 구해 주다니……! 드디어 시간 여행자의 로맨스가 시작되는 건가!

다행(多幸) : 뜻밖에 일이 잘 풀려 좋게 됨.

미래 인간과 친구가 되었네. 위나와 시간 여행자는 어떤 모험을 같이 하게 될까?

위나는 낮에는 어떤 것에도 겁을 내지 않았지만 어두운 밤이 되면 모든 것을 무서워했다. 그 일로 키 작은 사람들에게서 공포恐怖라는 감정이 완전히 사라지지 않았다는 것을 알게 되었다.

이로써 나는 한 가지 사실을 더 깨달았는데, 미래 사람들은 밤이 되면 커다란 집에 모여 함께 잠을 잔다는 사실이었다. 밤에는 아무도 문 밖으로 나가지 않았고 안에서도 누구 하나 혼자 자지 않았다.

위나를 구하기 전날, 난 아주 기분 나쁜 꿈을 꾸다가 새벽녘에 잠에서 깼다. 말미잘의 미끈거리는 촉수가 물에 빠진 내 얼굴을 건드리는 꿈이었다. 나는 깜짝 놀라 잠에서 깼는데, 그 순간 하얀 짐승이 막 방을 뛰쳐나가는 것을 본 것 같았다. 다시 잠을 청했지만 잠이 오지 않고, 점차 눈이 말똥말똥해졌다. 결국 나는 자리에서 일어나 건물

공포(恐怖) : 두렵고 무서움.

촉수는 진화의 정도가 낮은 동물들이 주로 가진 기관으로, 촉각을 담당하고 있지.

밖으로 나왔다.

밖은 흐릿한 달빛과 조금씩 퍼지고 있는 새벽 햇살이 뒤섞여 으스스했다. 그때, 언덕 위로 원숭이처럼 생긴 허연 것이 언덕 위로 빠르게 뛰어가는 것을 보았고, 폐허 더미 근처에서 시커먼 것을 나르는 게 보였다. 그것들은 모두 급하게 움직이고 있었는데 갑자기 숲 한가운데서 사라졌다. 그 모습을 보고 있자니 등골이 오싹했다.

'잠결이라 잘못 본 게 분명해. 틀림없이 잘못 봤을 거야.'

하지만 날이 밝은 후에도 새벽에 보았던 정체불명의 동물들이 머릿속에서 떠나지 않았다. 지난번에 미친 듯이 타임머신을 찾다 마주쳤던 하얀 동물과 어떤 관계가 있지 않나 생각해 보기도 했다.

'어쩌면 하얀 동물들이 내 타임머신을 가져간 건

낮에는 볼 수 없었던 동물들이 있었구나. 그런데 왜 밤에만 나타나는 걸까?

아닐까? 발자국 모양이 사람의 것이 아니
었잖아.'

생각은 거기까지 발전했다. 친절한 작은 미래 사
람들이 가져간 것이 아니라면 그들일 수도 있었다.

아,
사슴인 줄 알았던
그 회 짐승!

두 개의 세상, 두 개의 인류

나흘째 되던 날 아침은 매우 더웠다. 나는
뜨거운 햇살을 피해 거대한 폐허廢墟 안으로 들어갔다. 그
런데 그 안에서 이상한 일이 일어났다.

갑자기 어두운 곳으로 들어갔기 때문에 눈앞이 깜깜했
다. 그래서 이곳 저곳을 더듬으며 안쪽으로 조심스럽게
들어갔다. 한 순간, 나는 그 자리에 우뚝 멈춰 서고 말았
다. 바깥쪽에서 들어오는 빛을 받아 번쩍이는 두 눈이 날
노려보고 있었기 때문이다.

두려움이 몰려왔다. 나는 주먹을 꽉 쥐고 번쩍이는 두

폐허(廢墟) : 파괴되어 황폐하게 된 터.

눈을 바라보았다. 호흡이 가빠졌다. 나는 가만히 마음을 진정시키려 했다. 그리고 한 발 앞으로 다가서서 말을 걸어 보았다. 하지만 워낙 긴장하고 있던 터라 목에서는 귀에 거슬리는 이상한 소리만 나왔다. 손을 내밀자 털같이 부숭부숭한 것이 닿았다. 그와 동시에 나를 바라보고 있던 두 눈은 움직이는가 싶더니 쏜살같이 옆으로 빠져 나갔다. 뒤를 돌아보니, 원숭이처럼 생긴 괴상한 모습의 동물이 고개를 깊이 숙이고 달려나가는 게 보였다.

확실確實히 보지는 못했지만, 몸은 하얀색이었고, 눈은 회색이 섞인 붉은색이었다. 너무 갑자기 벌어진 일이라서 분명히 알아보기는 힘들었다.

정신을 차리고 그것이 도망간 길을 따라 폐허 더미 속으로 조금씩 들어갔다. 곧 우물 모양의 구멍을 발견할 수 있었다. 아까도 말했지만, 이런 우물은 그 전에도 곳곳에서 보았다.

확실(確實) : 틀림없이 그러함.

역시 그 우물은 보통 우물이 아니었어!

조금 전의 그 괴상한 동물이 우물을 타고 내려갔을지도 모른다는 생각을 하며 성냥을 켜 들고 아래를 내려다보았다. 우물 안에는 작은 몸집의 허연 동물이 크고 반짝이는 눈으로 나를 보고 있었다. 온몸에 소름이 돋았다. 우물 안에 손과 발을 걸칠 수 있는 손잡이 같은 게 있어 그것을 이용해 우물을 오르내리는 것임을 알게 되었다.

성냥불이 꺼지자 그것의 모습도 사라졌지만 난 계속해서 우물 안을 들여다보았다. 사람이라고 믿기 힘든 모습이었지만 머리를 치고 지나는 생각이 있었다. 그랬다. 그들도 우리들의 후손後孫인 것이다.

우리의 후손들은 한 종류로 남아 있던 게 아니라 두 종류로 갈라진 것이다. 지상 위에 살고 있는 우아하고 즐거운 사람들, 그리고 내 앞에서 황급히 도망가던 보기 흉한

후손(後孫) : 자신의 세대에서 여러 세대가 지난 뒤의 자녀를 통틀어 이르는 말.

동물들.

이 흉칙한 후손들은 땅 속에서 생활하고 있는 모양이었다. 이들은 오랜 세월 동안 땅 속에서 생활했기 때문에 밝은 것을 보면 도망친다든가 항상 머리를 숙인다든가, 눈을 크게 부릅뜬다든가 하는 지하 생물의 특징을 고스란히 갖고 있었다.

한 지구에 두 종류의 사람이 살게 되었군.

그렇다면 땅 밑으로는 셀 수 없이 많은 동굴이 뚫려 있고 그 곳에 땅 속 종족의 집과 그들이 있으리라. 어디서든 보이는 기둥과 우물의 개수를 생각하며 이들이 얼마나 넓은 지역에 살고 있는지 짐작할 수 있었다.

그렇다면 왜 이들은 지하에 살고 있는 것일까? 우리 시대가 갖고 있는 문제점을 생각해 보면 금세 알 수 있다. 즉, 현재의 부유한 사람들과 그 사람들로부터 돈을 받고 일하는 사람들의 차이가 점점 심해지면서 여기

기둥과 우물은 환기를 위해 필요한 구조물이지.

왜 인간을
인간 마음대로 바꾸면
안 되는 걸까?

까지 이른 것이다.

런던에 있는 지하철을 예로 들 수 있는데, 전기로 움직이는 지하철과 지하도가 있고, 또한 일을 하는 곳과 식당도 있으며 그 숫자는 점점 늘어갔다. 이런 방향으로 사회가 움직이다 보니, 한 번 지하로 들어간 사람들은 그 곳에서 점점 더 많은 시간을 보내게 됐고 마침내는 영영 그 곳에서 나오지 못한 채 평생을 보내게 된 것이다.

하지만 땅 위의 부유한 사람들은 자기들이 사는 곳을 좀 더 아름답고 화려하게 꾸미는 데에만 신경을 썼다. 그렇게 해서 완전히 다른 두 개의 세상, 두 개의 인류가 만들어진 것이다.

어떤 사람들이든지
간섭받지 않고
원하는 대로 살아갈
권리가 있으니까.

그러자 지상의 사람들이 새로운 환경에 적응하듯이 지하의 사람들도 그 곳 생활에 맞춰 살게 됐다. 이런 모습은 내가 꿈꿨던 인류의 위대한 승리와는 거리가 멀었다. 이것은 단순히 자

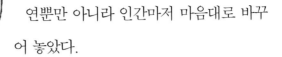

연뿐만 아니라 인간마저 마음대로 바꾸어 놓았다.

땅 위에 사는 사람들은 너무도 편안하고 안전한 생활로 인해 몸의 힘과 지혜의 힘을 점차 잃었지만, 땅 아래에 사는 인간들에게 어떤 일이 일어났는지 정확하게 알 수 없었다. 그러나 '몰록(지하 인간들)' 종족種族의 특징으로 미루어 보아 몸의 변화가 '엘로이(지상 인간들)' 보다 훨씬 컸을 것이라는 짐작은 할 수 있었다.

그 때 풀리지 않는 의문들이 떠올랐다. 그럼 몰록들이 타임머신을 가져간 것인가? 왜 가져갔을까? 또 엘로이들이 몰록을 마음대로 부릴 수 있다면 왜 타임머신을 찾아다 주지 않는 것일까? 그리고 엘로이들은 왜 그렇게 어둠을 무서워하나?

나는 집으로 돌아가 위나에게 지하 세계에 대해

종족(種族) : 조상과 말, 습관 따위가 같은 모임.

물어 보았다. 하지만 위나는 시원한 대답 대신 눈물을 보였다. 그 모습을 보자, 가슴이 먹먹해졌다.

몰록과 엘로이

내가 새로 발견한 사실들을 바탕으로 행동을 시작한 것은 몰록을 본 지 이틀이 지난 후였다. 나는 그들을 다시는 만나고 싶지 않았다. 그러다가 문득 곧 그믐달이 뜬다는 사실이 떠올랐다. 그러면 어둠을 좋아하는 그 하얀색의 보기 싫은 원숭이들이 땅 위를 뒤덮을 것이다.

난 그들과 맞설 용기가 없었다. 만약 나와 똑같은 외모의 친구가 한 사람이라도 있었다면 달랐을 것이다. 하지만 나는 혼자였고, 또 아무것도 보이지 않는 우물 아래로 엉금엉금 기어 내려가 원숭이들을 만나거나 어둠 속에서 그들을 대면할 자신이 없었다.

이렇게 막막한 상황을 혼자 견디고 헤쳐 나가는 건 무척 힘든 일이야.

이런 생각을 하면서 몰록들로부터 몸을 피하고

또한 타임머신을 찾기 위해 필요한 어떤 것들을 얻기 위해 점점 더 먼 곳까지 나아가 이곳 저곳을 살펴보았다. 남서쪽의 '콤 우드'라고 불리는 언덕 쪽으로 가 보니, 멀리 커다란 녹색 건물이 눈에 들어왔다.

그 건물은 그 어떤 건물이나 폐허보다도 컸는데, 건물의 정면은 동양적인 모습을 하고 있었다. 꼭 도자기처럼 청록색의 윤기가 났다. 다른 건물들과 다른 모습을 하고 있는 것으로 보아, 아마 그 쓰임새도 다른 것 같았다. 하지만 그 곳까지 가기에는 시간이 너무 걸려 다음 날로 미루었다.

다음 날, 나는 녹색 건물에 흥미를 느낀 것은 스스로를 속이는 핑계라고 생각했다. 타임머신을 찾기 위해 우물 안으로 들어가 몰록과 대면하는 것을 하루라도 더 미루고 싶었기 때문에 다른 핑계를 찾았던 것이었다. 난 더 이상 망설이지 않고 우물을 통해 지하로 내려가기로 했다.

드디어 지하 세계로 내려가는구나. 그런데 왜 위나는 함께 가지 않는 거야?

위나는 내가 그런 결심을 한 것도 모르고 나를 따라왔다. 하지만 즐거운 얼굴로 따라온 위나는 내가 우물에 들어가려 하자 어찌할 바를 몰라했다.

위나는 어두운 곳을 싫어하잖아. 게다가 다칠지도 모르고.

"잘 있어, 귀여운 위나."

난 입맞춤과 함께 작별作別 인사를 하고, 급히 우물 안쪽을 더듬어 디딜 곳을 찾았다. 조금이라도 우물쭈물하다가는 또다시 용기를 잃어버릴 것 같아서였다.

우물은 대략 180미터 정도 깊이였다. 우물 벽에 튀어나온 금속 막대를 밟고 아래로 내려가는데, 나보다 훨씬 작고 가벼운 사람들에게 맞춰진 막대라서 여간 힘이 드는 게 아니었다.

끝을 모르는 어둠으로 내려가는 일은 굉장히 두려운 일이었다. 다시 위로 올라가면 지하 세계의 일은 상관하지

작별(作別) : 서로 헤어짐.

주인공은
몰록들이 타임머신을
꽁꽁 숨겨 놓았다고
확신하는군.

않을 것이라 생각하며 쉬지 않고 밑으로 내려갔다. 그렇게 한참을 내려가다 보니 오른쪽에 30센티미터 정도의 작은 구멍이 뚫려 있는 게 보였다. 난 구멍 안으로 들어가자마자 바닥에 드러눕고 말았다. 너무도 지쳐 옴짝달싹할 수 없었기 때문이었다.

그렇게 한참 동안 누워 있는데 갑자기 부드러운 손이 얼굴을 쓰다듬는 게 느껴져 정신이 번쩍 들었다. 깜짝 놀라 일어난 나는 급히 성냥불을 켰다. 구부정하게 서 있던 허연 짐승 셋이 불빛을 피해 달아났다. 폐허 더미에서 보았던 것과 같은 놈들이었다. 제대로 보기 위해 성냥불을 켜자, 그들은 곧 어두운 곳으로 몸을 숨기고 이상한 눈초리로 나를 노려보았다. 말을 걸어 보았지만 그들의 말은 땅 위에 사는 사람들의 말과 다른지 내 말을 알아듣지 못했다. 이젠 누구의 도움 없이 모든 것을 나 혼자 해결하는 수밖에 없었다.

성냥불을
무서워하는 걸 보니
빛을 아주 싫어하는
모양이야.

그대로 줄행랑을 놓고 싶었지만 모든 게 엎질러진 물이라
는 생각을 하며 다시 한 번 마음을 굳게 먹었다.

어두운 구멍을 더듬거리며 앞으로 나아가자 기계 소리
가 점점 더 크게 들렸다. 곧 좁은 구멍을 빠져 나와 넓은
곳에 들어서게 되었다. 나는 얼른 성냥불을 켜고 주변을
살펴보았다.

그 곳은 천장이 둥근 커다란 동굴이었다. 불
빛이 닿지 않는 어두운 곳까지 동굴이 이어
지고 있었다. 어둠 속에서 모습을 드러낸
거대한 기계들은 괴상한 그림자를 만들었
고, 그 그림자 속에 몰록들이 빛을 피해 숨어
있었다.

몰록은 육식을,
옐로이는 채식을
하는구나!

어디선가 피비린내가 났다. 동굴 가운데로 금
속金屬으로 만들어진 탁자가 보였다. 또 탁자 위에
는 고기처럼 보이는 것이 놓여 있었다. 몰록은 육식을

금속(金屬) : 딱딱하며 만질만질한 빛이 나는 물체. 금, 은, 철 따위.

하는 종족이었던 것이다! 하지만 난 지상에서 동물을 본 적이 없었기에 어떻게 저들이 고기를 먹을 수 있는지 몹시 궁금했다.

순간, 성냥이 거의 다 타버려 불꽃이 손에 닿았다. 바닥에 떨어진 남은 성냥불은 점점 사그라졌다.

타임머신을 타고 출발할 때 난 미래 세계는 우리가 살고 있는 시대보다 훨씬 앞선 도구와 기계를 사용할 것이라고 기대했다. 그래서 무기나 약을 챙기지 않았다. 하지만 사진기를 갖고 왔더라면 얼마나 좋았겠는가! 사진을 찍어 두면 아무 때나 천천히 살펴볼 수 있을 텐데……. 그러나 내가 갖고 있는 무기는 오직 주먹과 다리, 치아, 그리고 성냥 네 개비뿐이었다.

원숭이처럼 생긴 몰록들은 힘이 별로 세지 않나 봐. 여럿인데도 아직 시간 여행자를 해치지 못하잖아.

그렇게 어둠 속에 서 있는데 손 하나가 내 손과 얼굴을 건드렸다. 곧 참을 수 없는 고약한 냄새가 콧구멍을 찔렀다. 흉칙한 무리들의 기분

나쁜 숨소리가 몸을 감쌌다. 그것들은 내 손에 있던 성냥 갑과 내 옷자락을 잡아당겼다. 아무것도 보이지 않는데 무언가가 나를 더듬고 있다는 생각을 하니, 온몸에 소름이 좍 끼쳤다.

나는 무리를 향해 힘껏 소리를 질렀다. 그러자 그들은 잠시 뒤로 물러섰다가 곧 내게로 다가왔다. 이제 서로 이상한 소리까지 내며 겁도 없이 내게 달려들었다. 나는 온몸을 부르르 떨며 고함을 쳤지만 제대로 된 목소리가 나오지 않았다. 그들은 놀라기는커녕 오히려 비웃는 것 같았다.

가엾은 시간 여행자. 무기를 좀 더 많이 갖고 갔어야지!

주머니에서 종이와 성냥을 꺼내 불을 붙이고 좁은 터널 쪽으로 달리기 시작했다. 하지만 터널 안으로 들어가자, 불은 힘없이 꺼졌다.

곧 여러 개의 손이 나를 꽉 움켜잡았다. 밖으로 끌어내려는 것이 분명했다. 난 급히 성냥 하나를 켜서 그들의 눈 앞에 대고 흔들었다. 그 때 난 그들의 얼굴을 뚝뚝히 보았다. 그들이 얼마나 괴물같이 생겼는지 아무도 상상하지 못할 것이다. 얼굴은 새하얗고, 얼굴에는 턱과 눈꺼풀이 없었다. 그런 보기 싫은 얼굴로 그들은, 눈이 부셔 어쩔 줄 몰라 하고 있었다.

'이 때다!'

그 사이에 난 다시 터널 안으로 도망쳤다. 두 번째 성냥이 꺼지자 세 번째 성냥에 불을 붙였는데, 우물의 아랫부분에 도착到着했을 때는 그 세 번째 성냥도 거의 다 타 들어가 꺼지려고 했다.

얼른 금속 막대를 찾아 손을 더듬거리는데, 갑자기 두 발이 안쪽으로 끌어당겨졌다. 마지막 남은 성냥을 켰지만 금방 꺼지고 말았다. 그 때 마침 손에 금속 막대가 잡혔다. 나는 힘차게 발길질을 했고, 덕분에 몰록들로부터 겨우 벗어날 수 있었다.

도착(到着) : 가고자 했던 곳에 다다름.

아마 시간 여행자는 미래에 이런 괴물들이 있을 거란 생각을 못 했겠지.

우물은 오르고 올라도 끝이 없었다. 10미터 정도를 남겨 놓고 갑자기 구토증이 느껴졌다. 올라가기는커녕 매달려 있기도 힘들었다. 머리는 어지러웠고 자꾸만 우물 깊숙한 곳으로 떨어질 것 같은 느낌이 들었다. 간신히 우물 밖으로 나온 나는 비틀거리며 눈부신 햇살이 쏟아지는 곳으로 나와 땅바닥에 쓰러지고 말았다. 위나가 내 손과 귀에 입을 맞추었다. 그리고 다른 엘로이들이 웅성거리는 소리를 들으며 난 정신을 잃었다.

밝혀지는 두 인류의 비밀

상황은 예전보다 더 나빴다. 그 전에는 타임머신이 걱정되기는 했지만 이 곳을 빠져 나갈 수 있으리라는 희망이 있었다. 그러나 동굴 탐험으로 알아 낸 사실들 때문에 그런 희망이 조금씩 흔들리고 있었다. 그 동안은 타임머신이 사라진 이유가 땅 위에 사는 엘로이들의 장난이라고

올무는 새나 짐승을
잡는 데 쓰는 올가미를 말해.
가끔 신문에 올무에
걸린 야생 동물의 기사가
나오기도 해.

믿었다. 만약 그게 아니더라도 문제점만 알아 내면 해결할 수 있으리라 낙관했다. 하지만 지금 심정은 꼭 올무에 걸린 짐승이 된 기분이었다.

나도 엘로이들과 마찬가지로 그믐달이 가져다 주는 어둠이 두려웠다. 땅 위에 사는 엘로이들이 왜 어둠을 무서워하는지 이해할 수 있었다. 그믐달이 뜨는 날이 오면 몰록들이 어둠을 틈타 무슨 짓을 할지 몰랐기 때문이었다.

시간을 두고 생각하니, 몰록과 엘로이의 관계가 하나씩 정리되기 시작했다. 땅 위에 살고 있는 엘로이들은 한때 모든 것을 가질 수 있었던 사람들이었고 몰록은 그들을 위해 기계機械처럼 일만 하던 사람들이었을 것이다. 하지만 그런 상태는 오래 전에 끝났고 인류는 두 종류로 나뉘어 각자 진화했다. 그런데도 몰록들은 여전히 엘로이들에

기계(機械) : 동력을 써서 움직이거나 일을 하는 장치.

게 옷이나 신발 같은 것을 만들어 주고 있었다. 관계는 변했지만 오랫동안 이어져 온 습관 때문이었을 것이다. 엘로이들이 일을 하지 않아도 부족함 없이 살아가는 이유 역시 바로 그 때문이었다.

　그 때 갑자기 동굴에서 보았던, 정체를 알 수 없는 고깃덩어리가 생각났다. 어쩐지 그것이 엘로이들과 무관하지 않다는 생각이 들었던 것이다. 그래서 그 고기가 어떻게 생겼는지 생각해 내려 했지만 정확히 어떤 모양이었는지 기억나지 않았다.

도대체 몰록들이 먹던 고기가 무엇이었을까? 가축이나 야생 동물을 보지 못했는데 말이야.

　어쨌든 엘로이들은 몰록을 두려워했다. 하지만 난 달랐다. 난 인간 시대의 전성기(全盛期)에서 왔을 뿐더러 보지도 않은 것에 대한 두려움이나 신비감 때문에 지레 겁을 먹는 일은 없었다. 또 최소

전성기(全盛期) : 한창 모든 기운이 활발한 시기.

한 스스로를 지킬 수 있는 힘을 갖고 있었다. 난 더 이상 망설이지 않고 무기를 만들어야겠다고 생각했다. 그리고 몰록들로부터 안전한 은신처隱身處를 찾기로 했다.

하지만 아무리 돌아다녀 봐도 몰록들이 접근하기 어려워 보이는 곳은 없었다. 그 때 도자기처럼 생긴 건물이 생각났다.

저녁 때가 되어 출발하려는데 위나가 걱정이 되었다. 차라리 함께 가는 편이 좋겠다고 생각한 나는 위나를 어깨 위에 메고 그 곳으로 향했다. 하지만 그 건물은 내가 생각했던 것보다 훨씬 멀었고 신발은 어느새 망가져 절뚝거리며 걸어야 했다. 그렇게 걷는 속도가 느려지다 보니, 그 건물에 도착하기도 전에 해가 지고 말았다.

잠시 쉬기 위해 어깨 위에 메고 있던 위나를 내려놓았다. 그러자 위나는 이리저리

그가 정말 시간 여행을 하고 과거로 돌아간다면 주머니에 꽃이 들어 있겠군!

은신처(隱身處) : 몸을 숨기는 곳.

뛰어다니며 꽃을 꺾어 내 주머니에 꽂아 주었다. 주머니를 신기해하던 위나는 주머니가 꽃을 꽂기 위해 있는 것이라고 생각한 모양이다. 이 이야기를 하다 보니, 생각나는 것이 있다. 윗도리를 갈아입다가 발견했는데…….

시간 여행자는 하던 얘기를 잠시 멈추더니, 주머니 속에서 시든 꽃 두 송이 꺼내어 탁자 위에 올려놓았다. 그 꽃은 크고 하얀 당아욱과 비슷해 보였다. 그리고 이야기를 계속 이어 갔다.

당아욱은
아욱과의 식물 중 하나로
약재로 많이 사용되지.
우리 나라에서는 울릉도
바닷가에서 자란다고 해.

4장
몰록과의 전쟁

강이 보이는 언덕에 섰을 때는 이미 어둠이 밀려온 후였다. 아무 소리도 들리지 않는 어둠 속에 서 있자니 감각感覺은 오히려 민감해졌다.

'이 아래에는 개미집처럼 엉켜 있는 몰록들의 세계가 있겠지.'

발밑에 있는 몰록들의 지하 세계가 느껴지는 착각이 들었다. 이리저리 어슬렁거리며 밤이 오기를 기다리는 몰록들이 보이는 듯했다.

감각(感覺) : 눈, 귀, 코, 혀, 살갗 등을 통해 어떤 느낌이나 자극을 받아들임.

나와 위나는 소리 없이 걸었다. 하지만 두려움과 피곤 때문에 위나는 더 이상 걷기 힘들어했다. 난 위나를 안고 쓰다듬어 주었다. 그렇게 우리는 긴 내리막길을 따라 강가로 갔다.

공포와 절망감 때문에 시간 여행자의 몸은 지쳐 버렸을 거야.

강을 건너 다음 언덕을 오르고 보니, 시커먼 숲이 나타났다. 숲은 한눈에 들어오지 않을 정도로 넓게 퍼져 있었다. 나는 위나와 함께 풀밭에 주저앉았다. 하루 종일 이런저런 생각을 하느라 몹시 지쳐 있었기 때문에 숲을 지나는 것은 다음 날로 미루기로 했다. 대신 언덕 위에서 잠을 청했다.

위험한 곳에서 자신을 보호할 것이 아무것도 없다면, 정말 하룻밤이 길게만 느껴질 거야.

막아 줄 것이 아무것도 없는 곳에서 보내는 밤은 그 어느 때보다 길었다. 그 긴 밤 동안 될 수 있으면 몰록에 대해 생각하지 않으려 했다. 그렇게 아무 일 없이 아침을 맞았다. 날이

밝자 왠지 모를 자신감自信感이 생겼다. 자리에서 일어나 보니 뒤축이 빠진 신발 쪽 발목이 부어 있었고 뒤꿈치도 심하게 아팠다.

위나를 깨워 어젯밤과는 달리 녹음이 짙은 숲 속으로 걸어 들어갔다. 숲 속에서는 다른 엘로이들이 꽃을 꺾어 들고 춤을 추고 있었다. 그 때 다시 한 번 동굴에서 보았던 고깃덩어리가 생각났다. 이제는 그 고기의 출처를 분명히 알 수 있었다.

그 어느 때보다 겁이 났지만 다시 한 번 마음을 다잡았다. 무엇보다 먼저 몸을 숨길 곳을 찾고 돌이나 금속으로 된 무기를 만들어야 했다. 그리고 오랫동안 꺼지지 않을 불을 구하는 게 중요했다. 몰록들을 몰아 내는 데는 불이 가장 효과적인 무기였으니까. 또 스핑크스 아래 청동 문

━━━━━━
자신감(自信感) : 무엇이든 할 수 있다는 느낌.

을 부술 도구도 필요했다. 문을 부수고 횃불을 들고 들어가면 타임머신을 찾을 수 있을 것이고 마침내 이 곳에서 탈출할 수 있으리라 믿었다.

'몰록들의 힘으로는 타임머신을 멀리까지 옮기지는 못했을 거야.'

나는 얼른 타임머신을 찾아 위나와 함께 내가 살던 과거로 돌아가야겠다고 마음먹었다. 이런 생각을 하며 그 건물을 향해 성큼성큼 걸어갔다.

나와 위나가 청록색 도자기 건물에 도착했을 때는 정오쯤이었다. 건물 안에는 아무도 없었다. 겉을 살펴보니 역시 도자기로 만들어져 있었다. 그리고 알 수 없는 글자들이 벽에 쓰여 있었는데, 나는 물론 위나 역시 그 글자들을 읽을 수 없었다.

문 안쪽에는 커다란 방 대신 긴 복도가 있었는데, 그 복도 양쪽으로 여러 개의 창문이 있어 환

사우스켄징턴 박물관은 영국에 있는 박물관으로 전성기 대영 제국을 상징하는 전시물들이 많아. 지금은 빅토리아 앤 앨버트 박물관이라고 이름을 바꾸었지~.

한 빛이 쏟아졌다. 그 곳은 박물관 같았다. 그렇다, 바로 사우스켄징턴 박물관博物館이었다.

우리는 공룡의 뼈가 전시되어 있던 고생물古生物 전시실과 광물 전시실, 자연사 전시실을 지나 기계를 전시하던 방에 들어섰다. 기계라면 누구에게도 뒤지지 않을 정도로 자신이 있었지만 그 곳에 있던 기계들은 난생 처음 보는 것들이었다. 기계들을 샅샅이 살펴보았지만 결국 어디에 어떻게 쓰는지 알아 내지 못했다. 결국 위나와 함께 기계 전시실을 나왔다.

복도 끝은 어두워 보이지 않았다.

나는 복도를 따라 걸으려다 발걸음을 멈췄다. 거기는 다른 곳에 비해 몹시 깨끗했고 앞쪽에는 작고 기다란 발자국이 찍혀 있었다. 몰록의 발자국이었다. 나는 당장이라도 몰록이 나타날까 두려웠다. 너무 오랫동안 기계를

박물관(博物館) : 여러 가지 물건이나 책, 그림 등을 모아 놓고 여러 사람들에게 둘러보게 함으로써 공부 등에 도움이 되게 하는 시설.
고생물(古生物) : 지질 시대에 살았던 생물. 주로 화석으로 발견된다.

살펴봤던 탓에 이미 늦은 오후가 되어 있었다. 난 아직 무기나 숨을 곳을 마련하지 못했고 불을 피울 도구도 없었다. 그 때 복도 끝에서 이상한 소리가 들려왔다. 몰록들인 것 같았다.

난 다시 기계를 전시해 놓은 방에 들어가 단단한 쇠로 만들어진 막대기 하나를 뽑아 들고는 복도에 서 있던 위나에게 달려갔다. 몰록들에게는 이 정도 무기면 충분하다고 생각했다. 복도 끝에 있는 몰록들을 모조리 해치워 버릴까도 생각했지만 위나를 혼자 두고 갈 수도 없고, 그들을 해치우면 타임머신에 어떤 피해가 생길지도 몰랐기 때문에 차마 그렇게 하지 못했다.

한 손에는 위나를 안고 다른 손에는 무기를 들고 또다른 전시실을 찾다 화학과 관련된 전시실로 들어갔다. 그리고 그 곳에서 병 속에 들어 있는 성냥을 발견했다. 공기를 완벽하게 막아 놓은 병 속에 성냥이 있었다.

난 떨리는 손으로 성냥을 꺼내 켜 보았다. 성냥은 금세 불이 붙었다. 습기가 스며들지 않은 덕분이었다. 그리고 전혀 생각하지 못했던 것도 발견했는데, 그것은 바로 녹나무의 잎과 줄기 등으로 만든 장뇌였다. 장뇌는 쉽게 불이 붙고 탈 때 매우 밝은 빛을 냈기 때문에 훌륭한 횃불이 된다. 장뇌까지 손에 넣게 되자 나는 자신감이 넘쳤다. 폭탄을 찾고 기뻐하기도 했지만, 그것은 속이 빈 모형 폭탄이었다.

장뇌는 휘발성이 강한 결정체로, 녹나무의 잎이나 줄기 따위를 증류시켜 얻는다고 해.

　나와 위나는 건물 안쪽에 있는 작은 정원庭園으로 갔다. 정원에는 잔디가 깔려 있었고 세 그루의 과일 나무가 있어 쉬면서 배를 채울 수 있었다. 아직 밤에 숨을 곳을 찾지 못했지만 큰 걱정은 되지 않았다. 몰록들을 물리칠 무기를 갖고 있었기 때문이었다. 탁 트인 곳에서 불을 피워 놓고 밤을 보내는 게 좋겠다고 생각했다. 그리고 아침이 되면 타임머신을 되찾으러 갈 것이다. 스핑크스 밑에 있던 문은 그리 튼튼해 보이지 않았기 때문에 쇠막

정원(庭園) : 집 안에 있는 뜰이나 꽃밭.

대기만으로도 충분히 열 수 있을 것이다.

해가 완전히 지기 전에 우리는 박물관에서 빠져 나왔다. 다음 날 아침에는 하얀 스핑크스가 있는 곳에 도착할 예정이었기 때문에 한밤중에 무시무시한 숲을 지나야 했다. 우선 걸어갈 수 있는 데까지 간 뒤 그 곳에서 불을 피우고 그 불빛을 이용해서 몰록을 막아 내는 게 내 계획이었다.

걸어가면서 눈에 띄는 족족 나뭇가지나 마른 풀을 주워 모았고, 곧 땔감이 한짐 가득했다. 짐이 많아져서 걷는 속도가 예상 豫想보다 늦어졌다. 위나 역시 많이 지쳐 있었다. 숲에 도착했을 때는 이미 컴컴한 밤이었다.

어두운 것을 무서워하는 위나는 자꾸 걸음을 멈추었지만 난 쉬지 않고 앞으로 나아갔다. 몰록을 만나기 전에 조금이라도 더 멀리 가고 싶었기 때문이다. 하지만 짐

어둠이 가득한 숲을
지나야 하다니!
몰록을 조심해!

예상(豫想) : 미리 어림잡아 생각함.

을 들고 있는 데다 지난 밤을 뜬눈으로 지새웠기 때문에 몸이 마음대로 움직여 주질 않았다.

그렇게 머뭇거리고 있는 동안, 등 뒤 어두운 숲에서 세 개의 그림자가 어른거렸다. 나와 위나는 덤불과 키가 큰 풀들에 둘러싸여 있었는데, 우선 나무나 키가 큰 풀이 없는 곳에 가면 조금 더 안전할 것 같았다. 그 곳으로 가면서 불을 붙이면 뒤에 쫓아오는 녀석들이 깜짝 놀랄 것이라는 생각이 들었다. 하지만 이것은 참으로 어리석은 짓이었다. 물론 그 때에는 몰록을 쫓아 보내는 것이 우선이라고 생각했지만 말이다.

성냥으로 땔감에 불을 붙이자 금세 불길이 일었다. 그런데 그런 큰 불을 처음 본 위나는 불길이 신기했던 모양이다. 위나는 불 쪽으로 뛰어가 너울거리는 불에 손을 대려고 했다. 내가 뒤따라가 붙잡지 않았다면 아마 불 속으로 뛰어들었을 것이다. 난 그런

위나는 전에 불을 본 적이 없나 봐! 기계를 움직이거나 밥을 짓는 데도 불은 꼭 필요한데 말이야.

위나를 안아 들고 앞을 향해 달리기 시작했다. 그렇게 한참을 뛰다 뒤를 돌아보니, 이리저리 얽혀 있는 나뭇가지 너머로 불길이 치솟는 것이 보였다. 불은 이 나무에서 저 나무로 옮겨 가며 언덕 위쪽으로 점점 올라가고 있었다.

한동안 나는 발에 밟혀 부러지는 나뭇가지 소리와 나무 위쪽에서 부는 바람 소리, 그리고 내 숨소리밖에 들을 수 없었다. 그런데 갑자기 주위에서 다른 발자국 소리가 들렸다. 처음엔 희미하게 들리던 그 소리가 점점 더 또렷해지고 있었다. 그 뿐만이 아니었다. 땅 밑 동굴에서 들려오던 이상한 기계 소리와 말소리도 점점 가까이 다가오고 있었다. 여러 명의 몰록이 있는 게 분명했다! 식은땀이 흐르고 목이 타 들어갔다. 그런데 순간, 뭔가가 내 옷자락을 세게 잡아당겼다. 또다른 놈이 내 팔을 잡았다.

서둘러 성냥을 켜야 했다. 하지만 성냥을 주머니 속에서 꺼내려면 위나부터 품에서 내려놔야 했다. 위나를 잠시 내려놓고 성냥을 찾기 위해 주머니를 뒤적이는 동안, 몰록들은 내게서 위나를 떼어 놓으려 했다. 겁에 질린 위

나는 아무 소리도 내지 못했다. 작고 부숭부숭한 손이 내 목을 만지는 순간, '쉬익' 하는 소리와 함께 성냥에 불이 붙었다. 성냥을 들고 살펴보니 나무 뒤로 몸을 숨기는 몰록들의 뒷모습이 보였다. 나는 주머니에서 장뇌 한 덩이를 꺼내 성냥불이 꺼지기 전에 불을 옮겨 붙일 준비를 했다. 위나는 내 다리를 꽉 붙잡고 꼼짝도 하지 않았다. 깜짝 놀라 몸을 구부려 살펴보니 숨을 제대로 쉬지 못했다. 나는 정신을 잃은 것처럼 보이는 위나를 조심스럽게 어깨에 들쳐 맸다.

그리고 장뇌에 불을 붙여 땅바닥에 던졌다. 땅에 떨어진 장뇌는 산산히 부서지면서 불꽃을 일으켰고 몰록들은 그 빛을 보고 도망쳤다. 등 뒤에서 놀란 몰록들의 소리가 들려왔다.

하지만 나는 성냥을 찾느라, 또 위나를 돌보느라 자세를 여러 번 바꾼 탓에 방향을 잃고 말았다. 어디에 청록색

라이터가 있었다면 조금 더 쉬웠을 텐데……. 작가가 살던 시대에는 아직 라이터가 발명되지 않았던 모양이야.

도자기陶瓷器 건물이 있고 어디에 스핑크스가 있는지 알 수 없었다.

결국 그 곳에서 불을 피우고 밤을 지새워야 했다. 우선 풀밭에 위나를 눕히고 장뇌의 불길이 약해지기 전에 나뭇가지와 마른풀을 모아 모닥불을 피웠다. 사방에서 몰록들의 눈이 빨갛게 반짝이고 있었다.

내가 여기 머무르는 동안 한 번도 비가 오지 않았던 터라, 풀은 기세 좋게 타기 시작했다. 모닥불은 그냥 두어도 한 시간 정도는 계속 타오를 것이다. 활활 타오르는 모닥불을 보고 있자니 조금은 안심할 수 있었다. 긴장이 풀린 나는 그 자리에 털썩 주저앉았다.

깜빡 잠이 들었던가. 눈을 떠 보니 모닥불은 이미 꺼졌고 사방四方은 온통 어둠뿐이었다. 그 순간 몰록들의 손길이 느껴졌다. 끈적끈적하게 달라붙는 그 손길을 뿌리치고

도자기(陶瓷器) : 진흙으로 빚은 후 뜨거운 곳에서 구워 낸 그릇 따위.
사방(四方) : 동서남북 네 방향.

급히 성냥을 꺼내려고 했다. 그런데 주머니 속에는 아무 것도 없었다!

모닥불이 꺼진 틈을 타 몰록들이 내 주머니에서 성냥을 훔쳐 간 모양이다. 곧 죽을지도 모른다는 두려움이 온몸을 감쌌다. 나무와 풀이 타는 냄새가 진동했다. 눈에 보이지 않는 몰록들이 머리카락과 양팔을 잡아당겼다. 그 어느 때보다 무서웠다. 마치 거대한 거미줄에 걸린 느낌이었다.

거미는 거미줄을 치고 거미줄에 걸린 먹이를 잡아먹지. 아, 그나저나 보이지 않는 공포가 더 두려운 법인데…….

벗어나려고 몸부림쳤지만 여러 놈들이 한꺼번에 덤벼들었기 때문에 그만 쓰러지고 말았다. 작은 이빨이 목덜미를 물어뜯으려 했다. 급히 몸을 굴렸고, 손끝에 금속 막대가 잡혔다. 금속 막대가 있다는 사실을 깨닫자, 온몸에 힘이 솟았다. 나는 있는 힘껏 몸을 일으켰다.

'에이, 쥐새끼 같은 놈들!'

나는 그들의 손길을 떨쳐 버리려고 몸을 흔들었다. 그

리고 금속 막대를 휘둘렀다. 몰록들의 아우성으로 숲은 금세 떠나갈 듯 시끄러웠다.

그렇게 1분 정도 지났을까? 흥분한 듯한 그들의 목소리가 더욱 커졌고 움직임도 빨라졌다. 하지만 내게 달려드는 놈은 하나도 없었다. 나는 어둠 속을 노려보았다.

그 때 믿을 수 없을 정도로 놀라운 일이 일어났다. 어둠 가운데서 희미한 빛이 보이는가 싶더니 몰록들이 도망가기 시작했다. 몰록들은 숲으로 도망쳤는데, 그들의 등은 붉은색을 띠고 있었다. 멍하니 그 모습을 바라보고 있는데 눈 속으로 작은 별처럼 반짝이는 게 들어왔다. 불티였다.

'이, 이럴 수가!'

나무들이 온통 불길에 휩싸여 있는 게 아닌가! 아까 땔감에 붙여 놓은 성냥불이 번진 것이다. 급히 위나를 찾았지만 어디에도 그녀는 없었다.

"탁탁!"

불은 몰록에게도 두려운 거지만 시간 여행자도 조심해야 해! 자나깨나 불조심 몰라?

불티는
타는 불에서 튀는
작은 불덩이를
가리키는 말이야.

나뭇가지가 타 들어가는 소리와 함께 불길
이 다가오는 게 느껴졌다. 난 금속 막대를 손에
꼭 쥐고 몰록의 뒤를 쫓아 뛰어갔다.

불길 때문에 사방은 대낮처럼 밝았다. 공터의
한 가운데는 꼭 무덤처럼 생긴 작은 언덕이 있었
고, 언덕에는 불에 탄 나무 한 그루가 서 있었다.

언덕의 중간쯤엔 사십여 명의 몰록이 있었는데 불
빛과 열기熱氣 때문에 앞이 보이지 않게 된 그들은 놀라
이리 뛰고 저리 뛰다가 서로 부딪치곤 했다.

나는 그들이 앞을 보지 못한다는 것을 모르고, 다가오
는 녀석들을 무조건 금속 막대로 때렸다. 그러나 언덕 위
에서 날뛰고 있는 몰록들을 보고서야 그들이 어떤 상태인
지 알았다. 그래서 앞으로 뛰어드는 놈들에게 금속 막대
를 휘두르는 대신 재빨리 피했다.

나는 마침내 무덤처럼 생긴 언덕 위에 올라갔다. 언덕

열기(熱氣) : 뜨거운 기운.

위에 올라서자, 붉게 타오르는 불길이 그들의 모습을 똑똑히 볼 수 있게 해 주었다. 그들은 이곳 저곳을 더듬거리며 괴성怪聲을 지르고 있었다. 놈들 중 두셋이 내게 다가왔다. 난 소리를 지르며 주먹을 휘둘러 그들을 쫓아 냈다. 이 모든 것이 끔찍한 꿈이라는 생각이 들었다.

마침내 태양이 떠오르고 있었다. 언덕 위에 서니, 연기 속에 청록색 도자기 건물과 스핑크스가 어느 쪽에 있는지 보였다. 신발 대신 발에 풀을 감고는 연기가 나는 잿더미와 나무 사이를 지나 타임머신이 숨겨진 곳으로 걸어갔다. 너무도 지친 데다 발까지 아팠기 때문에 천천히, 절름거리며 걸을 수밖에 없었다.

위나는 아마도 불 속에서 죽은 것 같았다. 그 생각을 하니 슬퍼서 견딜 수 없었다. 그런데 그 때, 무심코 바지 주머니에

드디어 아침이다!
정말 끔찍한 밤이었어.
살아 있는 게
기적 같아.

괴성(怪聲) : 괴상한 소리.

손을 넣었다가 깜짝 놀랐다. 바지 주머니 속에 성냥 몇 개비가 남아 있었던 것이다. 성냥갑에서 새어 나온 모양이었다.

5장

또 한 번의 미래 여행

다른 엘로이들은 아무것도 모르고 있는 모양이네.

마지막 대결

아침 8시에서 9시쯤, 스핑크스가 내려다보이는 언덕에 도착했다. 그 언덕은 내가 미래 세계에 처음 도착했을 때 올라서서 성급한 판단을 했던 곳이었다. 그 때의 기억이 되살아나자, 나도 모르게 쓴웃음이 나왔다.

멋진 건물들, 조용히 흐르고 있는 은빛 강, 처음 보았을 때와 달라진 것은 아무것도 없었다. 지난번 위나를 구했던 곳에서 물놀이를 하고 있는 사람들도 보였는데, 그 모습을 보자 가슴이 찢어질 듯 아팠다.

우물을 덮고 있는 둥근 지붕들이 여기저기서 모습을 드러냈다. 이제 나는 지상 사람들의 아름다움의 정체를 보게 되었다. 그들은 들판에서 아무 걱정 없이 풀을 뜯는 소처럼, 낮 동안 즐겁게 놀 뿐이었다. 그들은 자신들을 노리는 존재存在가 있다는 생각을 하지 못하고, 아무런 대비對備도 하지 않았다. 그리고 마침내 그들은 소와 같은 마지막을 맞게 될 것이다.

인간의 지능은 인간 스스로를 망가트렸다. 더욱 안전하고 편리한 것만 찾다 보니 마침내 모두가 꿈꾸던 그런 세상이 왔다. 목숨이나 재산을 잃을 걱정을 하지 않아도 되는 시대가 온 것이다. 부자들은 자신의 재산을 보장받았고, 일을 하는 사람들은 그들의 일과 생명을 보장받았다. 평화로운 시대였다.

살아 있는
모든 것은 환경에 맞춰
변해 가는구나.

존재(存在) : 어떤 모습을 갖추고 있는 것.
대비(對備) : 앞으로 있을 일을 생각하고 미리 준비함.

그래, 사람은 고난을 이겨 내며 강해지는 건데 옐로이들은 위험을 모르고 산 대신 힘과 지혜를 잃은 거지……

하지만 우리가 모르고 지나친 자연의 법칙이 있었다. 사람의 지혜는 변화와 위험, 어려움을 통해 얻게 된다는 것이다. 지혜란, 습관이나 본능처럼 아무 생각 없이 하는 행동이 아니기 때문이다. 커다란 문제와 위험이 닥쳤을 때야말로 그 생명체는 높은 지능과 지혜를 소유할 수 있다.

마음 속이 슬픔으로 가득 찼음에도 불구하고 평화로운 풍경을 보자, 온몸에서 기운이 빠지며 잠이 몰려왔다. 잔디밭 위에 몸을 눕히고 오랫동안 깊은 잠에 빠졌다. 저녁때가 다 되어서야 잠에서 깬 나는 크게 기지개를 켜고 스핑크스를 향해 걸어갔다.

그런데 생각지도 못했던 일이 일어났다. 스핑크스 받침대의 청동 문이 활짝 열려 있었던 것이다. 난 그 앞에 서서 잠시 들어가기를 망설였다. 그 안에는 작은 공간이 있었다. 그리고 그 구석에는 약간 높은 자리가 있었는데 거기에 타임머신이 놓여 있었고, 내 주머니에는 타임머신을 작동作動시킬 수 있는 손잡이가 있었다.

몸을 굽혀 받침대 안으로 들어서려는데, 문득 머리에 떠오르는 게 있었다. 이것은 몰록들이 날 유인하기 위해 파 놓은 함정이었다. 하지만 내겐 그들이 두려워하는 성냥이 있었다. 나는 웃음이 터지는 것을 참으며 타임머신 쪽으로 천천히 걸어갔다.

몰록들이 파 놓은 함정인 걸 알면서도 왜 들어갔지?

타임머신 옆에 서서 기계를 살펴보았다. 다시 타임머신을 만질 수 있다는 것만으로도 기분이 좋아졌다. 그 때, 내가 예상했던 일이 벌어졌다. 청동문이 갑자기 큰 소리를 내며 닫혔다. 몰록들은 내가 함정에 빠졌다고 생각했는지 징그러운 웃음소리를 내면서 다가왔다. 하지만 난 속으로 그들을 비웃으며 성냥불을 켤 준비를 했다. 성냥불을 켜고 조종 손잡이를 타임머신에

작동(作動) : 기계의 운동 부분이 움직임, 또는 그 부분을 움직이게 함.

시간 여행자는 성냥을 갖고 있잖아. 단지 성냥만!

끼우고 유령처럼 사라지면 모든 일이 끝날 것이었다. 그런데 그 순간 한 가지 사실을 깨달았다. 내게는 성냥만 있지 성냥갑은 없던 것이다. 성냥갑이 없으면 불을 켤 수 없다!

모두들 내가 얼마나 당황했는지 상상할 수 있을 것이다. 보기 싫은 괴물들이 코앞까지 다가왔다. 한 놈이 내 몸에 손을 댔고 난 보이지 않는 그놈을 향해 손잡이를 휘두르며 타임머신 위로 기어 올라갔다. 그 때 손 하나가 나를 당겼고 또다른 손이 내 몸을 더듬었다. 조종 손잡이를 끼울 곳을 찾는 동시에, 보이지 않는 손들과 싸워야 했다. 하마터면 두 개의 손잡이 중 하나를 빼앗길 뻔했다. 손잡이가 내 손에서 빠져 나가려는 순간, 나는 있는 힘껏 어둠을 향해 박치기했다. 그러자 '픽' 하는 소리와 함께 무언가가 쓰러졌고 다행히도 나는 다시 손잡이를 찾을 수 있었다. 이 싸움은 지난 밤 숲 속에서의 싸움보다 훨씬 더 힘들었다.

하지만 결국 나는 손잡이를 제자리에 끼우고 위로 당길

수 있었다. 날 붙잡고 있던 손들이 모두 떨어져 나갔고,
나는 다시 회색 공간으로 빠져들었다.

더 먼 미래

얼마나 시간이 흘렀을까. 그 때까지도 나
는 이리저리 흔들리는 타임머신에 앉아 있었
다. 어디로 가는지도 모른 채 말이다. 간신히 정
신을 차리고 계기판을 보았다.

"이, 이런!"

타임머신은 잘못된 방향으로 가고 있었다. 나
는 과거가 아닌 미래로 향하도록 손잡이를 작동시켰
던 것이다. 1,000일 단위의 계기판은 꼭 시계의 초침이
돌아가는 것처럼 빠르게 돌아가고 있었다. 난 빠르게 미
래로 날아가고 있었다.

미래로 날아가는 동안 낮과 밤이 변하는 속도가 점점
느려졌고 하늘을 가로지르는 태양의 움직임도 마찬가지
로 느려졌다. 그리고 몇백 년 동안 낮과 밤이 바뀌지 않고

그대로 유지되는 것 같았다. 더 이상 해가 지지 않았다. 태양은 전보다 더욱 커졌고 더욱 붉어졌다. 달은 흔적도 볼 수 없었다.

나는 타임머신을 멈추기로 했다. 지난번에 거꾸로 떨어졌던 기억이 나서 이번에는 아주 조심스럽게 속력을 줄였다. 조금씩 속도를 늦추자 아무것도 없는 텅 빈 해안이 보였다.

나는 천천히 타임머신을 세웠다. 그리고 자리에 앉은 채로 주위를 둘러보았다. 하늘은 더 이상 파란색이 아니었고 북동쪽은 온통 칠흑 같은 어둠밖에 없었다. 별이 유난히 반짝이고 있었다. 머리 위의 하늘은 짙은 황적색이었고, 남서쪽 하늘은 진홍빛이었다. 태양은 지평선에 반쯤 걸려 있었다.

주위의 바위는 보기 싫은 붉은색이었다. 살아 있는 것은 바위의 한쪽 면에 붙어 있는 녹색 식물들뿐이었다. 그 식물들은 동굴 같은 곳에서 볼 수 있는 이끼처럼 선명한 녹색을 띠고 있었는데, 빛이 잘 닿지 않는 곳에서 자라는 종류였다.

파도가 사라진 바다는 조용히 숨을 쉬는 것처럼 해수면이 살짝 솟았다 다시 꺼져 들었다. 난 머리를 세게 얻어맞은 것처럼 멍해져서 숨조차 제대로 쉴 수 없었다. 언젠가 높은 산에 올라갔을 때 느꼈던 답답함이 떠올랐다. 산소가 부족한 게 틀림없었다.

다시 한 번 주위를 살펴보니 붉은 바위라고 생각했던 것들이 조금씩 내게 다가오는 게 보였다. 가까이서 보니 그것은 게였다. 커다란 탁자만큼 큰 게를 상상해 보라. 여러 개의 다리를 천천히 움직이면서 커다란 집게발을 흔드는 모습이란! 그것들은 마부馬夫의 채찍처럼 가느다란 더듬이를 꿈틀거리고 있었다. 등딱지는 쭈글쭈글했고 징그러운 혹 같은

마부(馬夫) : 말을 부리는 사람. 마차꾼.

것이 튀어나와 있었다. 또 푸르스름한 딱지가 여기저기 붙어 있었으며 복잡하게 생긴 입에서 나온 여러 개의 촉수가 땅을 더듬고 있었다.

뒤를 돌아보니 그 곳에도 거대한 게가 있었다. 그놈은 징그러운 두 눈을 이리저리 굴리면서 무언가를 먹으려는 듯이 계속해서 입을 움직이고 있었다. 그놈이 나에게 덤벼들려는 찰나에 나는 손잡이를 당겨 한 달 앞으로 나아갔다. 그러나 나는 여전히 똑같은 자리에 있었다. 그 끔찍하게 생긴 괴물 게들도 여전히 같은 자리에 있었다.

100년을 더 앞으로 날아갔다. 태양은 변함없이 어두운 붉은 빛이었다. 다만 조금 더 커지고 흐리게 변해 있었다. 죽어 가는 바다의 모습도 변함없었고 공기도 차가웠다. 녹색 이끼가 덕지덕지 붙어 있는 붉은 바위 사이로 여전히 징그러운 게들이 돌아다니고 있었다.

나는 1,000년씩 가다 서다, 가다 서다를 반복했다. 지구의 운명이 어떻게 될지 궁금했기 때문이다. 서쪽 하늘에 떠 있는 태양이 점점 커지면서 빛을 잃어 갔고, 지구

아주 먼 미래에는 사람이 더 이상 존재하지 않는 걸까…….

위의 생물들이 차츰 사라져 갔다. 나는 그 모습을 멍한 눈으로 바라보았다. 그리고 우리가 살고 있는 시대로부터 3,000만 년이 지난 뒤에는 붉은 태양이 하늘의 10분의 1을 차지한다는 것도 알게 되었다.

난 다시 타임머신을 멈추었다. 이제 바닥을 기어다니던 수많은 게들은 모두 사라졌고 해변에는 이끼 빼고는 아무것도 남아 있지 않았다. 곧이어 심한 추위가 닥쳐왔다.

살아 있는 동물이 없는지 주위를 둘러봤다. 그러나 땅과 하늘, 바다를 아무리 살펴보아도 움직이는 것은 보이지 않았다. 끈적끈적해 보이는 바위의 이끼가 전부였다. 그런데 그 순간 모래톱 위로 무언가 시커먼 게 튀어오르는 듯했다. 가만히 쳐다보았지만 더 이상 움직이지 않아 바위를 잘못 본 것이라 생각했다.

나는 엄청나게 밝은 빛을 내는 별들을 올려다보았다.

그 때 문득 태양의 왼쪽 부분이 변했다는 것을 알게 되었다. 누군가 삽으로 퍼낸 것처럼 움푹 패인 것이다. 패인 곳은 점점 더 커지고 있었다. 깜짝 놀란 나는 조금 더 자세히 태양을 가리고 있는 검은 그림자를 바라보았다. 그것은 일식이었다.

일식이란, 달이나 다른 행성이 태양을 가려서 잠깐 동안 태양을 못 보게 되는 현상을 말하는 거야.

태양을 가리며 빠르게 어둠이 몰려왔다. 동쪽에서는 차가운 바람이 세차게 불어왔고 흰 눈이 매섭게 쏟아졌다. 세상은 침묵뿐이었다. 새의 지저귐이나 사람들이 움직이는 소리 같은 것은 들을 수 없었다. 우리가 매일 듣고 살던 소리들이 모두 사라져 버린 것이다.

일식이 진행進行됨에 따라 주위는 점점 어두워졌고 잠시 후엔 희미한 별빛 외에는 아무것도 보이지 않았다. 이렇게 상상도 할 수 없을 정도의 어둠이 몰려오자, 나는 모든 것이 무서워졌다. 식은땀이 나고 온몸이 부들부들 떨렸다. 먹은 게 없었음에도 뱃속에 있는 모든 걸 토해 내고

진행(進行) : 앞으로 나아감.

싶었다.

　잠시 후 태양의 가장자리가 조금씩 드러나기 시작했다. 뱃속이 몹시 메스꺼웠기 때문에 다시 시간 여행을 하기는 어려울 것 같았다. 잠시 깊게 숨을 쉬었다. 그 때 아까 모래톱 위에서 움직이던 것을 다시 보았다. 그것은 분명히 움직이고 있었다! 태양이 다시 모습을 드러내면서 움직이는 모습이 확실히 보였다.

　그것은 축구공보다 조금 더 큰 크기로, 더듬이가 길게 늘어져 있었다. 출렁대는 붉은 바다를 뒤로 하고 있어서 더욱 어두워 보였는데, 그 순간 그것이 갑자기 펄쩍 튀어 올랐다. 나는 기절할 정도로 놀랐지만, 그대로 쓰러질 수만은 없다는 생각에 온 힘을 다해서 타임머신에 올라 손잡이를 잡아당겼다.

아, 믿을 수 없어.
먼 미래의 지구 모습이
너무 끔찍해! 무엇 때문에
환경이 변하게
된 것일까?

6장
믿을 수 없는 이야기들

현재로 돌아오다

한동안 타임머신에 올라앉은 채로 정신을 잃은
모양이었다. 깨어 보니 다시 낮과 밤이 빠
르게 지나고 있었다. 계기판 바늘들은 아
까와는 달리 거꾸로 돌아가고 있었다. 100
만 단위의 계기판 바늘이 0을 가리키자, 타
임머신의 속도를 줄이기 시작했다. 조금씩 우리
시대의 건물이 보이기 시작했다. 난 아주 천천히
타임머신의 속도를 줄여 완전히 세웠다. 눈앞에
익숙한 실험실의 모습이 보였다.

타임머신에서 내려 실험실을 둘러보았다. 미래 세계에서 몇 번이나 죽을 고비를 넘기는 동안 실험실은 그대로라니!

'혹시 내가 여기서 잠들었던 것은 아닐까, 그래서 꿈을 꾼 것은 아닐까?'

그런 생각마저 들었다. 그러나 한 가지 다른 점이 있었다. 시간 여행을 시작했을 때는 타임머신이 남동쪽 구석에 있었는데 지금은 북서쪽에 있었다. 그 차이는 몰록들이 잔디밭에서 스핑크스 받침대까지 타임머신을 옮겨 놓은 거리와 같았다.

한동안 아무 생각도, 아무 행동도 하지 못했다. 이윽고 실험실에서 나온 나는 문 앞에 있는 신문을 보고 나서야 오늘이 며칠인지 알 수 있었다. 시계는 8시를 가리키고 있었고, 사람들의 목소리가 들렸다. 난 무슨 병에라도 걸린 것처럼 기운이 하나도 없었다.

그 때 마침 맛있는 고기 냄새가 솔솔 콧구멍으로 흘러 들어왔다.

'도저히 못 참겠군.'

더 이상 참을 수가 없어 문을 열고 집 안으로 들어온 것이다. 그 후에는 여러분이 모두 알고 있듯이 목욕을 하고 식사를 하고, 이렇게 내가 겪은 이야기를 하고 있는 중이다.

두 번째 여행

시간 여행자는 잠시 이야기를 멈추었다가 계속 이어 갔다.

"아마 지금 내가 한 이야기를 믿기는 힘들 걸세. 하지만 나 역시 지금 내가 여기에 있다는 게 믿기 힘들다네. 이렇게 친구들과 마주 앉아 이야기를 하다니……."

시간 여행자가 의사를 보며 말했다.

다시 화자가 '시간 여행자'에서 '나'로 바뀌었군.

"자네는 절대 믿지 않겠지. 그래, 내가 거짓말을, 아니 예언을 했다고 생각해도 좋아. 실험실에서 연구를 하다 잠이 들어 꿈을 꿨

다고 해도 좋고. 인간과 지구의 운명을
걱정하다가 지어 낸 이야기라고 해도, 자
네들을 재미있게 해 주기 위해 지어 낸 이
야기쯤으로 생각해도 할 수 없지. 자, 어찌
됐든 내 이야기에 대한 자네들의 생각은 어
떤가?"

시간 여행자는
아무도 자기 말을
믿지 않을 거라
생각했나 봐.

시간 여행자의 질문에 우리는 잠시 아무 말도
할 수 없었다. 의사는 시간 여행자를 노려
보듯이 쳐다보았고, 신문 기자는 시계를
만지작거렸다. 그 때 편집장이 크게 한숨
을 내쉬며 자리에서 일어났다.

"자네가 왜 진작부터 소설小說을 쓰지 않았
는지 궁금하군."

그는 시간 여행자의 어깨에 손을 올려놓으며

그래, 편집장을 봐.
그는 시간 여행자의 이야기를
모두 지어 낸 거라면서
믿지 않잖아.

소설(小說) : 사실 또는 작가의 상상력을 바탕으로 허구적으로 이야기를 꾸며 나
간 산문체의 문학 양식.

말했다.

"내 애길 못 믿겠나?"

"글쎄, 그게……."

"못 믿을 거라 생각했네."

시간 여행자는 우리에게 시선을 돌렸다.

"사실은 나도 잘 믿어지지가 않아. 그런데 말이야……."

시간 여행자는 아무 말 없이 탁자 위에 올려놓았던 꽃을 바라보았다. 그리고 자신의 손등에 난 상처를 유심히 보았다.

의사는 자리에서 일어나 등불을 가져 오더니 꽃을 살펴보기 시작했다.

"이 꽃은 정말 희한하게 생겼는걸."

의사의 말에 심리학자도 조심스럽게 꽃을 살펴보았다.

"이상하군. 어떤 종류種類의 꽃인지 전혀 모르겠어. 내가 가져도 되겠나?"

종류(種類) : 어떤 기준에 따라 나눈 갈래.

의사가 꽃을 달라고 하자, 시간 여행자
는 잠시 망설이다가 고개를 저었다.

"도대체 이런 꽃을 어디서 구한 거
지?"

의사가 되묻자 시간 여행자는 손을 머리에
얹고 잠시 생각을 하는 것 같았다.

"위나가 준 꽃이라네."

그는 방 안을 둘러보았다.

"이게 모두 거짓말일까? 아, 난 이 방과 여기에 있
는 자네들과 날마다 겪는 일을 기억하는 것도 힘들다네.
내가 정말 타임머신을 만들었던가? 아니면 그저 모양만
그럴듯한 기계를 만든 건 아닐까? 머릿속이 너무 혼란混亂
스러워! 다시 타임머신을 살펴봐야겠네. 그게 정말 있다
면 말이지!"

시간 여행자는 급하게 램프를 집어 들고, 문 밖으로 나

저기에 꽃을 공부한
사람만 있었더라도
시간 여행자의 말이
진실이라는 게
밝혀졌을 텐데!

혼란(混亂) : 뒤섞여서 어지러움.

갔다. 우리 모두 그를 따라나섰다. 일렁이는 불빛 아래서 우리는 분명히 흉칙하게 일그러진 타임머신을 볼 수 있었다. 갈색을 띤 얼룩과 기름때가 묻어 있었고 아래쪽에는 알 수 없는 풀과 이끼가 들러붙어 있었다. 또 난간 하나가 휘어져 있었는데, 시간 여행자는 그 휘어진 난간을 쓰다듬으며 중얼거렸다.

"그래, 모든 게 사실이었어. 추운데 모두 데리고 나와 미안하네."

이 말과 함께 다시 우리가 있던 방으로 돌아왔다.

이윽고 돌아갈 시간이 되었다. 시간 여행자는 우리를 배웅해 주기 위해 현관까지 나왔다. 의사는 시간 여행자의 얼굴을 잠시 들여다보더니 너무 일에 열중한 것이라 말했다. 그러자 시간 여행자는 큰 소리를 내며 웃더니, 우리에게 조심해서 가라고 소리쳤다.

나는 편집장과 같은 마차를 타게 되었는데, 그는 시간 여행자의 이야기가 모두 새빨간 거짓말이라 생각하고 있었다. 하지만 나는 시간 여행자의 말을 믿을 수도, 믿지 않을 수도 없었다. 물론 그의 이야기는 너무 환상적이라 보통의 사람들에게는 그저 소설처럼 들렸을 것이다. 하지만 시간 여행자가 너무 진지(眞摯)한 표정으로 이야기했기 때문에 그것을 거짓말이라고 생각하기 힘들었다. 그 날 밤은 시간 여행자에게서 들은 이야기 때문에 잠이 오질 않았다. 날이 밝으면 다시 그를 만나 봐야겠다고 다짐했다.

시간 여행자는 다시 과거나 미래로 가서 시간 여행을 증명할 물건을 가져올 모양이군.

　다음 날 나는 그의 집으로 갔다. 실험실에 있다는 이야기를 듣고 찾아갔지만 시간 여행자는 보이지 않았다. 잠시 타임머신을 바라보다 손잡이를 만져 보았다. 그러자 가만히 있던 기계가 마치 센 바람을 맞은 듯 심하게 흔들렸다. 나는 깜짝 놀라 얼른 밖으로 나와 응접실로 되돌아왔다. 시간 여행자는 응접실에 있었다. 마

이번에는 준비를 단단히 했군. 첫 여행 때 고생이 많았기 때문이겠지.

진지(眞摯) : 마음 쓰는 태도나 행동 따위가 참되고 착실하다.

침 그는 실험실로 가려던 참이라고 했다. 한 손에는 카메라를, 또 다른 손에는 배낭을 든 채 말이다. 그는 나를 보자 씨익 웃었다.

"지금 난 저 기계 때문에 무척 바빠."

"장난으로 지어 낸 얘기가 아니었나? 진짜 시간 여행이 가능하단 말인가?"

"그래, 모든 게 사실이야."

그는 내 눈을 똑바로 보며 말했다. 그리고는 잠시 머뭇거리더니 다시 말을 이었다.

"자네가 왜 왔는지는 알고 있다네. 마침 와 줘서 참 잘됐어. 여기 있는 잡지를 보면서 조금만 기다리게나. 같이 점심을 먹으면서 모든 걸 증명證明해 보일 테니까. 이번에는 여러 가지 증거를 가져올 계획이라네. 그러니 조금만 기다려 줄 수 있겠나?"

증명(證明): 어떤 사항이나 판단 따위에 대하여 그것이 진실인지 아닌지 증거를 들어서 밝힘.

나는 그의 말을 제대로 이해하지 못한 채로 그러겠다고 대답했다. 그는 내 대답을 듣고는 응접실 밖으로 나갔고 곧 이어 실험실의 문이 닫히는 소리가 들렸다. 나는 의자에 앉아 잡지를 집어 들었다. 그런데 그 순간, 2시에 다른 약속이 있는 것이 떠올랐다. 시계를 보니 아무래도 약속 시간이 빠듯할 것 같아 시간 여행자에게 그 이야기를 하기 위해 실험실로 갔다.

복도를 지나 실험실의 문고리를 잡고 막 문을 열려는데 안쪽에서 커다란 소리가 들렸다. 그 소리는 갑자기 멈추더니 뭔가가 바닥에 부딪히는 소리가 들렸다. 문을 열자, 엄청난 바람이 불어 왔고 안쪽에서는 유리가 떨어져 깨지는 소리가 났다. 하지만 시간 여행자의 모습은 보이지 않았다. 빠르게 회전하는 검은 물체가 있었고 그 위에 유령 같은 모습이 언뜻 스쳤다. 그 모습이 투명했기 때문에 뒤에 있던 다른 물건들도 똑똑히

시간 여행자가 실제로 사라지는 모습을 보게 됐어! 이제 적어도 한 사람은 시간 여행을 믿겠지.

볼 수 있었다. 그런데 자세히 보기 위해 눈을 비비는 사이, 그 유령 같은 모습의 타임머신은 어디론가 사라지고 말았다. 천장 쪽으로 나 있던 창문 하나가 깨진 듯했다.

도대체 시간 여행자에게 무슨 일이 일어난 거야? 그는 아직도 시간 여행을 하고 있는 중일까?

나는 도대체 무슨 일이 일어났는지 몰라 멍하니 서 있었다. 그 때 정원 쪽으로 난 문을 통해 하인下人이 들어오길래 다가가 물었다.

"자네 주인이 그 쪽으로 나갔나?"

"아니요, 아무도 나가지 않았습니다. 저도 주인님을 뵈려고 들어오는 중이었습니다."

그제야 무슨 일이 일어났는지 알 수 있었다. 나는 2시의 약속도 미뤄 둔 채 그가 돌아오기만을 기다렸다. 이번엔 더욱 이상한 이야기와 증거들을 갖고 올 것이라는 기대와 함께 말이다.

그러나 얼마나 오랫동안 그를 기다려야 할지 모르겠다.

하인(下人) : 남의 집에서 시중을 들거나 힘든 일을 하는 사람.

시간 여행자가 사라진 지 벌써 3년이 지났다.

시간 여행자가 다시 돌아올까? 모두들 그것을 궁금해하고 있다. 과거로 타임머신을 타고 간 그가 석기 시대의 원시인들에게 안 좋은 일을 당했거나 쥐라기 시대의 거대한 공룡들과 함께 살고 있는 것은 아닐까?

어쩌면 가까운 미래로 간 것일 수도 있다. 아니, 우리가 갖고 있는 문제를 모두 해결한 먼 미래에 가 있는지도.

물론 그것은 나 혼자만의 생각일 수도 있다. 시간 여행자는 인간의 미래가 그리 밝지 않다고 자주 이야기했다. 난 그가 타임머신을 만들기 훨씬 전부터 그와 미래에 대해 많은 이야기를 나누었다. 사람들이 만들어 낸 편리하고 발전된 생활은 그저 아무 생각 없이 층층이 쌓여 갈 뿐이고, 언젠가는 그것들이 한꺼번에 무너져 내릴 것이라는 게 시간 여행자의 설명이었다. 만일 정

1800년대의 사람들은 미래를 두려워했던 것 같아. 웰스의 다른 작품인 〈우주 전쟁〉이나 〈모로우 박사의 섬〉에서도 미래는 결코 아름다운 곳이 아니거든.

말 그렇다면 우리가 할 수 있는 일은 그런 사실을 모르는 척하면서 살아가는 것밖에는 없을 것이다.

그러나 내 생각은 다르다. 미래는 여전히 빈 칸으로 남겨져 있다. 미래는 시간 여행자가 들려준 이야기와는 비교할 수 없을 만큼 커다란 수수께끼의 세계인 것이다. 그리고 내 앞에는 이런 생각에 힘을 더해 주는 꽃이 놓여 있다. 처음 보았을 때는 흰색의 특이한 꽃이었지만, 조금씩 시들어 갈색으로 변하더니 지금은 살짝만 건드려도 부서질 듯하다. 하지만 이 꽃이 바로 미래 인간들에게도 감사와 사랑의 감정이 남아 있는 증거證據란 것을 나는 안다!

끔찍한 미래를
맞이하지 않으려면
지금 우리들부터
건강한 사회를 위해
노력해야겠지?

증거(證據) : 어떤 사실이 맞는지 아닌지를 밝힐 수 있는 바탕.

PART 3

PART3 PART3

PART 3 PART 3 PART 3

PART 3 PART 3 PART 3 PART 3

PART 3 PART 3 PART 3 PART 3 PART 3

PART3 PART 3 PART 3 PART 3 PART 3 PART

PART 3 PART 3 PART 3 PART 3 PART 3

PART3 PART 3 PART 3 PART

PART3 PART 3 PART 3

PART3 PART3

깊어지는 논술

타임머신을 타고
논술 공부하러 가자~!

PART 3

깊어지는 논술

타임머신 (The Time Machine)

시간을 뛰어넘는 여행에 대한 이야기를 가장 먼저 시작한 소설 〈타임머신〉. 지금은 타임머신을 소재로 한 많은 이야기가 있지만, 이 소설이 발표된 1895년에는 아무도 타임머신을 상상하지 못했답니다.

그러나 〈타임머신〉 발표 이후, 시간 여행에 관한 책이나 영화는 손으로 꼽을 수 없을 정도로 많아졌지요.

〈타임머신〉의 80만 년 후의 미래 세계에 대한 묘사는 지금 읽어도 여전히 공포스럽습니다. 이처럼 오늘날까지도 많은 사람들에게 감동을 주고 사랑을 받는다는 점에서 〈타임머신〉은 매우 가치 있는 작품이라고 할 수 있습니다.

〈타임머신〉은 1960년에 처음 영화로 만들어졌는데, 지난 2002년에는 작가인 허버트 조지 웰스의 증손자인 사이먼 웰스 감독에 의해 다시 한 번 영화로 만들어지기도 했답니다.

◀ 미로 같은 골목길처럼
긴 시간의 터널을 지나 미래로
시간 여행을 떠나 볼까요?

허버트 조지 웰스
(Herbert George Wells, 1866~1946)

　SF 소설의 창시자라고 할 수 있는 허버트 조지 웰스는 1866년 영국에서 태어났습니다. 그는 하층민으로 태어나 제대로 된 교육을 받을 수 없었지만, 끊임없는 노력으로 생물 교사가 되었습니다. 교사가 된 후 본격적으로 글을 쓰기 시작했지요.

　대중 잡지에 실린 웰스의 소설은 발표될 때마다 큰 인기를 끌었는데, 한 권의 책으로 만들어진 최초의 소설이 바로 〈타임머신〉이랍니다. 그 후 웰스는 〈모로우 박사의 섬〉, 〈투명 인간〉, 〈우주 전쟁〉 등의 소설을 발표하면서 가장 인기 있는 공상 과학 소설가가 되었답니다.

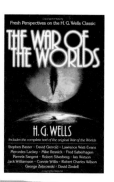

공상 과학은
언제나 즐겁다네~.

◀ 그의 공상 과학 소설
〈우주 전쟁〉도 읽어 보세요.

미래 세계는 정말 행복한 세상일까요?

시간 여행자와 함께 한 미래 여행은 재미있었나요? 〈타임머신〉은 시간 여행자라는, 조금은 엉뚱한 상상력을 갖고 있는 사람이 시간을 마음대로 여행할 수 있는 기계를 만들어 80만 년 후의 미래에 다녀온다는 이야기입니다. 시간 여행자에게서 들은 미래의 모습은 어땠나요?

작가 허버트 조지 웰스가 살던 1800년대는 산업 혁명 후에 사회가 두 가지 계층으로 나누어진 시기랍니다. 산업 혁명이란 1700년대 후반부터 유럽 등지에서 일어난 생산 기술과 사회 조직의 변화를 말합니다.

혁명 전에는 집이나 작은 건물에서 몇 명의 사람들이 모여서 물건을 만들었지요. 이렇게 만들 땐 필요한 수량을 만들려면 시간이 무척 오래 걸렸습니다. 그런데 많은 물건을 한꺼번에 만들 수 있는 기계가 발명되면서 공장이 생겨났고, 공장에서 만든 물건은 값이 매우 쌌기 때문에 공장은 더욱 많아졌습니다. 그러면서 공장에서 일할 사람들이 많이 필요했습니다. 공장이 늘어나는 만큼 점점 많은 사람들이 도시로 모여들었습니다.

그러다 보니 문제가 생겼어요. 시골에서 도시로 올라온 사람들은 살 곳을 찾기 어려웠던 것입니다. 그들의 월급은 집을 마련하기에는 너무 적었고, 도시에는 더 이상 집을 지을 땅도 없었습니다.

　그래서 새롭게 도시에서 살게 된 사람들은 하루 종일 공장에서 힘들게 일하고 누추하고 더러운 집으로 돌아가야 했습니다. 공장에서나 집에서나 그들은 밝은 햇빛을 보기 어려웠습니다.

　몰록들은 바로 이렇게 생활했던 사람들이 변한 모습이랍니다. 부자들의 소망대로 보기 흉한 기계나 공장들은 점점 땅 밑으로 옮겨 가고, 공장에서 일하는 사람들 역시 땅 속에서 지내는 생활이 길어지다 보니, 그 곳에 맞게 모습이 변한 것이지요.

반면, 땅 위에 사는 사람들은 자신들이 살고 있는 곳을 더욱 아름답고 편하게 꾸미는 데에만 관심을 가졌습니다. 그래서 먹고 노래 부르고 춤추는 것 외에는 아무 관심도 없는 엘로이로 변한 것이랍니다.

　물론 미래의 인간들이 저렇게 변할 것이라고 누구도 확신하지는 못합니다. 아니, 지금은 오히려 작가가 살던 시대보다 훨씬 더 좋은 환경이 만들어지고 있기 때문에, 지하에서 일을 한다고 해서 그들의 후손들이 몰록처럼 변하지는 않을 것입니다.

하지만 작가가 살던 시대와 우리가 살고 있는 시대가 갖고 있는 공통점이 있답니다. 그것은 바로 부자들은 계속 편하고 걱정 없는 생활을 하고, 그렇지 못한 사람들은 언제까지고 힘들고 어려운 삶을 살아가야 한다는 것이지요.

시간 여행자가 들려주는 미래 세계에서는 엘로이가 몰록을 무서워하고, 몰록은 엘로이를 잡아먹는 무시무시한 관계였습니다. 하지만 이 둘은 모두 '인간의 후예'랍니다. 사람이 서로 다른 모습으로 바뀌어, 서로 먹고 먹히는 사이가 되는 모습! 이것이 정말 우리가 원하는 미래의 모습일까요? 아니, 누구도 이런 미래를 원하지는 않을 것입니다.

그렇다면 작가는 왜 이런 모습이 우리의 미래가 될 것이라는 이야기를 했을까요? 단순히 사람들에게 겁을 주려고 그런 걸까요? 작가는 무심하게 하루하루를 살아가는 사람들에게 따끔한 충고를 하고 싶었을 것입니다. 넉넉한 사람들과 그렇지 못한 사람들이 계속 서로에게 무관심하거나 서로를 미워한다면, 시간 여행자가 본 것 같은 끔찍한 일이 일어날 수도 있습니다.

우리는 〈타임머신〉을 통해 무서운 일이 벌어지고 있는 미래를 보았습니다. 그 상상이 실제가 되지 않게 하려면 지금 여기 살고 있는 우리부터 밝고 희망찬 미래를 위해 노력해야 할 것입니다.

하지만 예전부터 그런 일이 벌어지고 있었어. 사람들이 조화롭게 살아갈 수 있는 방법을 찾아야지.

하나의 인류가 너무도 다른 생명체로 진화하다니, 상상이 안 되는걸.

PART 4
PART 4 PART 4
PART 4 PART 4 PART 4
PART 4 PART 4 PART 4
PART 4 PART 4 PART 4 PART 4
PART 4 PART 4 PART 4 PART 4
PART 4 PART 4 PART 4 PART 4 PART
PART 4 PART 4 PART 4 PART 4
PART 4 PART 4 PART 4 PART
PART 4 PART 4 PART 4 PART
PART 4 PART 4

논술 워크북

타임머신을
타 본 소감이 어때?
논리적으로 표현해 볼까?

PART 4

논술 워크북

1-1 이 작품에는 1차원, 2차원, 3차원, 4차원이라는 말이 나
옵니다. 각각 무엇을 뜻하는지 설명해 보세요.

1-2 〈타임머신〉에는 두 종류의 미래 인간들이 등장합니다.
이들의 특징은 무엇일까요?

HINT

본문을 잘 읽고 정리하면 알 수 있는 문제입니다. 차원에 대한 설명과 미래
사회 사람들에 대한 설명을 다시 한 번 찾아 읽어 보세요.

2 다음은 제5장의 일부입니다. (가) 다음에 (나)의 상황이 벌어졌다면 글의 앞뒤 관계를 고려할 때 잘못된 부분이 있다고 말할 수 있습니다. 그 부분을 지적하고 그것이 왜 잘못된 것인지를 설명해 보세요.

(가) 미래로 날아가는 동안 낮과 밤이 변하는 속도가 점점 느려졌고 하늘을 가로지르는 태양의 움직임도 마찬가지로 느려졌다. 그리고 몇백 년 동안 낮과 밤이 바뀌지 않고 그대로 유지되는 것 같았다. 더 이상 해가 지지 않았다. 태양은 전보다 더욱 커졌고 더욱 붉어졌다. 달은 흔적도 볼 수 없었다.

(나) 그 때 문득 태양의 왼쪽 부분이 변했다는 것을 알게 되었다. 누군가 삽으로 퍼낸 것처럼 움푹 패인 것이다. 패인 곳은 점점 더 커지고 있었다. 깜짝 놀란 나는 조금 더 자세히 태양을 가리고 있는 검은 그림자를 바라보았다. 그것은 일식이었다. …(중략)…

일식이 진행됨에 따라 주위는 점점 어두워졌고 잠시 후엔 희미한 별빛 외에는 아무것도 보이지 않았다.

HINT

태양이 전보다 더욱 커지고 달은 흔적도 볼 수 없었다고 하고는 뒷글에서 달이 태양을 가리는 일식이 일어났다고 합니다. 앞뒤 관계가 이상하지 않나요? 물론 이상하지 않다고 주장할 수 있습니다. 적절한 근거를 들어보세요.

3 다음은 본문에 나오는 글입니다. 이 글에서는 우리가 변화와 위험, 어려움을 통해 지혜를 얻는다고 말합니다. 여러분이 경험했던 변화와 위험, 어려움을 생각해 보고, 그것을 통해 어떤 지혜를 얻을 수 있었는지 이야기해 보세요.

인간의 지능은 인간 스스로를 망가트렸다. 더욱 안전하고 편리한 것만 찾다 보니 마침내 모두가 꿈꾸던 그런 세상이 왔다. 목숨이나 재산을 잃을 걱정을 하지 않아도 되는 시대가 온 것이다. 부자들은 자신의 재산을 보장받았고, 일을 하는 사람들은 그들의 일과 생명을 보장받았다. 평화로운 시대였다.

하지만 우리가 모르고 지나친 자연의 법칙이 있었다. 사람의 지혜는 변화와 위험, 어려움을 통해 얻게 된다는 것이다. 지혜란, 습관이나 본능처럼 아무 생각 없이 하는 행동이 아니기 때문이다. 커다란 문제와 위험이 닥쳤을 때야말로 그 생명체는 높은 지능과 지혜를 소유할 수 있다.

– 제5장

HINT

예를 들어 여러분이 방학 동안 책을 읽지 않고 무작정 놀다가 개학할 때가 되어 부랴부랴 숙제를 하느라 혼이 났던 경험이 있다고 합시다. 이러한 경험을 통해 방학 때도 시간표를 짜서 행동하거나 나름대로의 계획도 세우는 것이 훨씬 좋다는 지혜를 얻었다면 이것 역시 하나의 사례가 될 것입니다.

4 타임머신을 타고 철수가 과거로 갔습니다. 과거로 간 철수가 아기였던 자신에게 상처를 입혔다면 그 순간에 철수 자신에게도 상처가 날까요? 그리고 서기 2030년, 2031년, 2032년의 철수가 어린 시절 자신이 살고 있는 과거로 왔다면 그 순간에 철수는 몇 명일까요? 다음 〈보기〉의 주장들 중에서 하나를 선택하고 그 근거를 제시해 보세요.

〈보기〉

주장 1 과거로 간 철수가 어린 시절 자신에게 상처를 입혔다면 그 순간에 철수 자신에게도 상처가 난다.

주장 2 과거로 간 철수가 어린 시절 자신에게 상처를 입혔다고 해도 상처가 나지 않을 것이다.

주장 3 철수가 과거로 갔을 때 서기 2030년, 2031년, 2032년의 철수가 왔다면 철수는 모두 다섯 명이다.

주장 4 철수가 과거로 갔을 때 서기 2030년, 2031년, 2032년의 철수가 동시에 왔다고 해도 철수는 한 명이다.

HINT

만약 과거의 나에게 미친 영향이 현재의 나 자신에게 아무런 영향도 미치지 않는다면 과거로 가서 현재의 나를 바꾸어 보겠다는 생각은 헛된 생각일 것입니다.

5 다음 글은 〈타임머신〉에 나오는 미래 인간들의 모습입니다. 우리가 이런 미래의 인간이 되지 않으려면 어떻게 해야 할까요? 다음 제시문을 요약하고 현재를 살아가는 우리들의 올바른 마음 자세에 대해 자신의 견해를 논술하세요.

우리의 후손들은 한 종류로 남아 있던 게 아니라 두 종류로 갈라진 것이다. 지상 위에 살고 있는 우아하고 즐거운 사람들, 그리고 내 앞에서 황급히 도망가던 보기 흉한 동물들.

이 흉칙한 후손들은 땅 속에서 생활하고 있는 모양이었다. 이들은 오랜 세월 동안 땅 속에서 생활했기 때문에 밝은 것을 보면 도망친다든가 항상 머리를 숙인다든가, 눈을 크게 부릅뜬다든가 하는 지하 생물의 특징을 고스란히 갖고 있었다.

…(중략)…

그렇다면 왜 이들은 지하에 살고 있는 것일까? 우리 시대가 갖고 있는 문제점을 생각해 보면 금세 알 수 있다. 즉, 현재의 부유한 사람들과 그 사람들로부터 돈을 받고 일하는 사람들의 차이가 점점 심해지면서 여기까지 이른 것이다.

런던에 있는 지하철을 예로 들 수 있는데, 전기로 움직이는 지하철과 지하도가 있고, 또한 일을 하는 곳과 식당도 있으며 그 숫자는 점점 늘어갔다. 이런 방향으로 사회가 움직이다 보니, 한 번 지하로 들어간 사람들은 그 곳에서 점점 더 많은 시간을 보내게 됐고 마침

내는 영영 그 곳에서 나오지 못한 채 평생을 보내게 된 것이다.

　하지만 땅 위의 부유한 사람들은 자기들이 사는 곳을 좀 더 아름답고 화려하게 꾸미는 데에만 신경을 썼다. 그렇게 해서 완전히 다른 두 개의 세상, 두 개의 인류가 만들어진 것이다.

　그러자 지상의 사람들이 새로운 환경에 적응하듯이 지하의 사람들도 그 곳 생활에 맞춰 살게 됐다. 이런 모습은 내가 꿈꿨던 인류의 위대한 승리와는 거리가 멀었다. 이것은 단순히 자연뿐만 아니라 인간마저 마음대로 바꾸어 놓았다.

－ 제3장

● **나의 주장 :**

● **주장에 대한 이유 :**

HINT

제시문이 있는 논술 문제를 풀기 위해서는 먼저 제시문을 요약하여, 그 핵심을 한 문장으로 정리할 수 있어야 합니다. 그리고 문제로 삼고자 하는 것을 분명히 하고 그 다음에 자신의 의견이나 주장을 적절한 이유와 더불어 쓰면 됩니다. 자신의 주장이 마련되었다면, 그런 방법이나 의견이 옳다고 생각하는 이유를 설명하면 됩니다.

6 다 쓴 글을 친구나 부모님 앞에서 발표해 보세요. 그리고 듣는 사람이 고개를 끄덕이는지 아니면 고개를 갸우뚱하는지 반응을 살펴보세요. 발표가 끝난 후에는 평가도 부탁해 보세요.

가이드북
GUIDE BOOK

〈타임머신〉에 대하여

〈타임머신〉의 작가 허버트 조지 웰스는 1866년 영국에서 가난한 농부의 아들로 태어났습니다. 비록 교육도 제대로 받지 못했지만 그는 많은 책을 읽었습니다.

웰스는 가게 점원이나 학교의 사환 등 여러 곳에서 여러 종류의 일을 하면서 스스로 돈을 벌었고 18세가 되어서는 그 돈으로 다시 공부를 시작했습니다. 그렇게 해서 런던 대학에서 생물학을 공부했고 생물 교사가 되었습니다.

그러나 그는 생물 교사로서 아이들을 가르치던 27세 때 폐결핵에 걸렸습니다. 그리고 요양 생활을 하던 1895년에 최초의 공상 과학 소설 〈타임머신〉을 발표했습니다. 〈타임머신〉은 어려서부터 읽은 많은 책과 생물 교사로서의 지식이 합쳐져서 이루어진 걸작이라고 할 수 있습니다.

그 후에 허버트 조지 웰스는 〈투명 인간〉, 〈우주 전쟁〉 등 일생 동안 100권이 넘는 책을 저술했습니다. 그는 〈지구에서 달까지〉, 〈해저 이만 리〉, 〈80일간의 세계일주〉로 유명한 프랑스의 쥘 베른과 더불어 '세계 공상 과학 소설의 아버지'로 추앙받고 있습니다.

작품의 전체 줄거리

시간 여행자는 자신이 발명한 타임머신을 타고 까마득한 미래인 80만 2000년의 세계에 도착합니다. 미래의 세계에는 작지만 순수하고 어린이 같은 엘로이들과 지하에서만 생활하는 흉측한 모습의 몰록들이 살고 있었습니다.

과일만 먹는 엘로이와 빛을 무서워하고 괴물 같은 모습을 하고 있는 몰록은 현재의 인간들이 변해 버린 '지상 인간'과 '지하 인간'이라고 할 수 있습니다.

그런데 시간 여행자는 몰록들에게 타임머신을 도둑맞습니다. 타임머신이 없으면 다시 자신이 살고 있는 세계로 돌아갈 수 없기 때문에 그는 타임머신을 찾기 위해 갖은 고생을 합니다.

주인공은 가까스로 타임머신을 되찾아 다시 수백만 년 후의 미래로 갑니다. 그러나 수백만 년 후의 미래도 암울하다는 사실만 확인하고는 그가 살고 있는 시대로 돌아옵니다.

그는 또다시 시간 여행을 떠납니다. 그러나 몇 년이 흘러도 돌아오지 않고 있다는 내용으로 이야기는 끝이 납니다.

〈타임머신〉의 의미

많은 사람들이 〈터미네이터〉나 〈백 투 더 퓨처〉와 같이 시간 여행을 소재로 한 영화를 보았을 것입니다. 과학이 발전하면서 사람들은 많은 기계를 발명해 냈습니다. 점차 사람들은 자신들의 힘으로 만든 기계로 시간을 여행하는 것이 가능하지 않을까 생각하게 되었지요.

이와 같이 시간을 거슬러 가거나 미래로 가 보는 이야기나 영화들은 모두 〈타임머신〉에 그 기원을 두고 있습니다. 이처럼 〈타임머신〉은 과학 이론에 근거하여 시간 여행을 다룬 최초의 공상 과학 소설이라고 할 수 있습니다.

1-1 사고 영역 _ 사실적 이해

본문의 핵심 내용을 얼마나 잘 이해했는지 알아보는 문제입니다.

"이 세상에는 네 개의 차원이 있는데, 그 중 세 개가 공간이고 나머지 하나가 시간인데 우리는 평생 시간의 길을 따라 한쪽으로 아주 조금씩 움직이기 때문에 그 사실을 놓친 거라네."

"우리가 살고 있는 이 공간이라는 것은 길이와 너비, 높이로 이루어져 있으며 이 세 가지가 만나는 지점에 의해 만들어지지. 하지만 과연 이 모든 게 이 3차원에만 머물러 있는 걸까?"

- 제1장

직선은 1차원, 평면은 2차원, 입체는 3차원, 여기에 시간이 더해져 4차원이 됩니다. 그래서 본문에 "온도계의 수은은 우리가 알고 있는 3차원 공간에서 움직인 게 아니라 시간을 따라 움직인걸세. 따라서 온도계 안의 수은은 '시간 차원'을 따라 움직인다고 봐야 하네."와 같은 내용이 나옵니다. 어려운 내용이지만 본문을 읽고 깊이 생각해 보면 알 수 있습니다.

 CHECKPOINT

공간과 시간이 합해져 4차원이 된다는 사실을 알면 됩니다.

180

사고 영역 _ 사실적 이해

본문에 등장한 미래의 인간에 대한 이해도를 점검합니다.

(1) 미래에서 처음 만난 인간들에 대한 설명

"나는 그 손길을 거부하지 않았다. 아마도 상냥하고 친절한 그들의 태도와 어린아이 같은 천진한 모습 때문이었으리라."

(2) 두 번째로 만난 보기 흉한 괴물에 대한 설명

"이 흉칙한 후손들은 땅 속에서 생활하고 있는 모양이었다. 이들은 오랜 세월 동안 땅 속에서 생활했기 때문에 밝은 것을 보면 도망친다든가 항상 머리를 숙인다든가, 눈을 크게 부릅뜬다든가 하는 지하 생물의 특징을 고스란히 갖고 있었다."

엘로이는 과일만 먹고 고기를 먹지 않으며 아름답게 꾸미는 데만 신경을 씁니다. 하지만 그들은 게으르고 집중력이 부족하며 어린아이 같습니다. 반면에 몰록은 지하에서만 생활하던 사람들이 괴물 같은 모습의 인간으로 변한 것입니다. 그들은 엘로이를 잡아먹기도 합니다. 또 빛을 싫어하며 불을 무서워합니다.

 CHECKPOINT

제2장의 내용과 제3장의 내용을 확인하면서 답해 봅시다.

② 사고 영역 _ 비판적 사고

다른 사람의 생각을 비판적으로 바라보는 시각을 갖게 해 주는 문제입니다. 그러나 이것은 부정적으로 생각하라는 것은 아닙니다. 근거를 갖추어 자신의 주장을 새롭게 펼쳐 보는 것이 필요합니다.

이와 같은 문제에서는 (가)와 (나)글의 공통점과 차이점, 또는 변화된 양상을 확인해야 합니다. 그래야 그 관계를 분명히 알 수 있기 때문입니다.

(가)에서는 태양이 전보다 더욱 커졌고 붉어졌다고 말했습니다. 그런데 (나)에서는 태양을 가리고 있는 검은 그림자가 일식 때문이었다고 말합니다.

이것은 앞뒤 관계가 모순되는 말입니다. 일식이란 달이 해를 가리는 현상을 뜻합니다. 그런데 앞에서는 태양에 대해서만 말했는데, 시간이 흘러 달이 생긴 것이 아닌 한 일식은 일어날 수 없습니다. 시간의 순서로 보아 앞의 말이 맞다면 뒤의 주장은 불가능합니다.

그러나 반대로 생각해 볼 수도 있습니다. 가령 계속해서 주야로 해가 지지 않았을 때, 즉 백야 현상(낮만 계속되는 현상)이 일어났다고 할 때 달은 지구 아래쪽만을 돌고 있을 수도 있습니다. 그리고 달이 없어졌다가 수백 년 후에 달이 다시 생긴 것일 수 있습니다. 그런 경우라면 달이 있었다고 해도 달을 볼 수는 없을 것입니다. 나중에 달이 보이게 되었다는 의미입니다.

   또한 일식이라고 했을 때 달이 해를 가린 것이 아니라 다른 행성이나 유성이 일정 기간 해를 가리게 된 경우를 생각할 수 있습니다. 그런 경우라면 달이 없어도 태양을 가릴 수가 있을 것입니다.

CHECKPOINT

본문을 정확히 이해했다면 여러분의 생각을 정리할 수 있을 것입니다. 과학적 지식이 부족하다면 선생님이나 부모님과 함께 이 문제에 대하여 대화를 나누어 보세요.

3 사고 영역 _ 창의적 사고

본문에 나오지 않은 내용을 창의적으로 생각해 보는 문제입니다.

우리는 생활 속에서 여러 가지 변화와 위험 또는 어려움을 겪습니다. 그리고 그것을 통해 지혜를 얻기도 합니다. 따라서 이와 같은 문제에 대해서는 먼저 어려웠던 일을 생각해 보아도 되고 자신에게 생긴 지혜가 어떻게 해서 생겼는지를 생각해 보아도 됩니다.

가령 계획을 짜서 행동하는 습관은 계획을 짜지 않고 행동했다가 낭패를 본 경험 때문에 생긴 지혜가 될 수 있습니다. 또한 평소에는 새로운 일을 하는 것이 힘들 것이라고 생각했는데, 부모님이나 선생님께서 시키신 어려운 일을 힘들게 해결했다고 가정해 봅시다. 일을 마무리했다는 성취감 때문에 그 다음부터는 웬만한 일들을 어렵지 않게 생각하게 되었다면, 그것 역시 어려움의 극복으로 생긴 지혜라고 할 수 있을 것입니다.

지혜란 새로운 상황에서 그 문제를 해결하는 능력을 말합니다. 지혜는 새로운 책들을 읽거나 새로운 경험을 할 때 얻게 됩니다. 좋은 경험은 새로운 사건을 해결하는 열쇠가 될 수 있습니다. 부모님께 거짓말을 했다가 크게 혼난 후로 거짓말을 하지 않게 되었을 뿐만 아니라 그 다음부터는 거짓말을 하지 않는 것이 가장 좋다는 지혜를 얻었다면, 이것 역시 자신의 경험을 통해 얻은 지혜라고 할 수 있을 것입니다.

모든 어린이에게 이런 종류의 변화와 경험 또는 어려움이 있었을 것입니다. 그것을 통해 새롭게 알게 된 사실이나 지식이 있다면 그것을 지혜라고 말할 수 있을 것입니다.

CHECKPOINT

자신의 경험과 그로 인해 얻은 지혜를 아는 것이 핵심입니다.

4 사고 영역 _ 논리적 사고

자신의 주장을 근거와 더불어 이야기하는 문제입니다. 이 문제는 과학적으로도 미래 또는 과거 여행이 등장하는 모든 문제와 관련되는 중요한 문제입니다. 이 문제는 어려운 문제입니다. 생각하는 것이 복잡하기 때문입니다. 하지만 다음의 설명을 고려하여 잘 생각해 보면 충분히 이해할 수 있습니다.

시간 여행자는 조그만 타임머신을 미래로 보냅니다. 그 때 심리학자가 묻습니다. "그럼, 자네 얘기는 아까 그 기계가 미래로 날아갔다는 건가?" 이 물음에 대해 시간 여행자가 잘 모르겠다고 대답하자. 그는 "자네 말이 사실이라면 틀림없이 과거로 갔을 거야. 만약 미래로 움직였다면 여전히 여기에 남아 있어야 해. 조금 아까의 상황에서 미래로 가려면 지금 이 순간도 지나가야 하니까 말이야."라고 말합니다.

이와 같은 심리학자의 말에 다른 사람은 또다른 주장을 내놓습니다. "하지만 과거로 갔다면 우리가 이 방에 들어섰을 때도 그 기계를 봤어야지. 그리고 지난 주, 지지난 주에도 봤어야 하고."

이 말은 "내가 과거로 가서 어린 시절의 나에게 상처를 입혔다면 그 순간에 나 자신에게도 상처가 날까?"라는 문제와 관련된 말입니다. 타임머신이 존재한다면 한순간에 수십 명의 '나'가 있을 수도 있을 것입니다. 즉 서기 2030년, 2031년, 2032년의 '나' 뿐만 아니라 미래에서 온 '여러 명의 나'가 현재에도 존재할 수 있다는 뜻입니다.

이것이 가능할까요? 여러분들의 생각은 어떤가요? 실제로 어떤 과학자는 타임머신의 존재는 불가능하다고 말합니다. 타임머신이 존재할 수 있다면 지금 이 순간에도 미래에서 온 수천 명의 '나'가 있어야 할 것이기 때문이고 이 경우에 모든 '나'가 서로에게 영향을 미쳐야 하기 때문입니다.

과거는 과거대로 현재는 현재대로 모든 시간이 따로따로 존재한다면 내가 과거로 가서 어린 시절의 나에게 상처를 입혔다고 해도 그 당시 존재하는 나 자신에게는 상처가 생기지 않을 것입니다. 여러분의 생각은 어떤가요?

CHECKPOINT

과거의 나와 미래의 내가 현재에서 만날 수 있을까에 대해 자유롭게 자신의 견해를 생각해 볼 수 있습니다.

5 사고 영역 _ 논리적 사고

제시문을 요약하고, 그 것을 현재의 시점에서 되돌아본 후 자신의 견해를
써 보는 문제입니다.

이와 같은 문제는 먼저 제시문을 요약할 수 있어야 해결할 수 있습니
다. 요약하는 능력은 중요합니다. 핵심 파악이 되어야 적절한 논리를 펼
수 있기 때문입니다.

제시문에는 서기 80만 2000년에는 두 종류의 인간이 살게 된다고 말
하고 있습니다. 하나는 엘로이이고 다른 하나는 몰록입니다. 보기 흉한
몰록은 어두운 곳에서 살고 있으며 성격이 포악합니다. 땅 위의 사람들인
엘로이는 몸의 힘과 지혜의 힘이 약합니다.

몰록이 땅 위로 나오지 못하는 것은 오랜 세월 동안 땅 속에서 생활했
기 때문입니다. 그리고 땅 위의 부유한 사람들은 자기들이 사는 곳을 좀
더 아름답고 화려하게 꾸미는 데에만 신경을 썼습니다. 그리하여 완전히
다른 두 종류의 인간들이 사는 세상이 된 것입니다. 이것이 제시문의 핵
심이라고 할 수 있습니다.

이렇게 제시문을 요약할 수 있다면 그 핵심을 한 문장으로 정리할 수
있을 것입니다. 그 다음에는 미래의 인간들이 그런 모습이 아니라 행복한
한 종류의 인간으로 살기 위해 필요한 방법과 현재의 마음 자세를 생각해
야 합니다. 우선 그런 모습이 되지 않으려면 먼저 지하에서 생활하는 사

람들이 없도록 만들 필요가 있겠지요.

　미래에도 사람들이 행복하게 살 수 있으려면 매순간 자신이 할 일을 제대로 해야 합니다. 또한 다른 사람들도 함께 행복하게 살도록 만들겠다는 마음 자세도 필요할 것입니다. 이런 내용이 논술문 안에 담기면 무난하게 글을 쓸 수 있을 것입니다.

CHECKPOINT
제시문의 핵심 요약과 그 문제를 해결하기 위한 마음 자세가 중요합니다.

다음은 논술 5단계 문제에 대한 예시 답안입니다. 지도에 참고하시기
바랍니다.

나의 주장 : 미래는 지금 우리들 행동의 결과이다.

서기 80만 2000년의 우리 후손들은 지하에 사는 인간인 몰록
과 지상에 사는 엘로이 두 종류다. 보기 흉한 몰록은 오랜 세월
동안 땅 속에서 생활했기 때문에 밝은 것을 보면 도망치고 항상
머리를 숙이고 있으며 크고 번쩍이는 눈을 가지고 있다. 땅 위의
사람들은 안전한 생활로 인해 몸의 힘과 지혜의 힘을 쓰지 않아
점차 약해졌다.

우리의 미래가 암울한 이유는 사람들이 현재만을 중요하게 생
각하고 미래에 대해 별로 생각하지 않기 때문일 것이다. 우리 미
래의 사람들이 〈타임머신〉에 나오는 몰록과 엘로이처럼 둘로 나
뉘지 않으려면 지하에서 생활하는 사람들도 밝은 빛을 보려고 노
력해야 하고, 지상에서 생활하는 사람들도 좀 더 나은 미래를 위
해 노력해야 할 것이다. 현재 생활만을 생각하면 세상은 더 이상
발전하지 않을 것이기 때문이다.

현재의 사람들이 좋지 않은 생각을 많이 하고 나쁜 일을 많이
하면 할수록 우리의 미래는 암울할 것이다. 우리의 미래를 좋게
만들려면 많은 사람들이 행복할 수 있는 방법을 생각해야 한다.
자기 자신만 생각하는 사람들이 많을수록 자신뿐만 아니라 다른

사람들도 불행할 것이다.

　미래의 모습은 현재의 삶을 근거로 예상한 것이다. 미래가 불행하면 현재도 불행하다는 의미이고, 미래가 행복한 모습이라면 현재의 삶도 행복하다는 뜻이다.

　우리는 항상 행복한 마음으로 살아야 한다. 그렇게 하기 위해서는 나뿐만 아니라 다른 사람들의 행복에 대해서도 생각해야 할 것이다. 우리들의 행복은 현재의 다른 사람들과 더불어 미래의 후손들에게도 좋은 영향을 미칠 것이다.

천사와 악마가 등장하는 〈파우스트〉에서 만나요!